3.

La tejedora de sueños

DRAMA DE

Antonio Buero Vallejo

COLECCION TEATRO   N° 16

LA TEJEDORA DE SUEÑOS

OBRAS DEL MISMO AUTOR PUBLICADAS EN ESTA COLECCION

LA TEJEDORA
DE SUEÑOS

DRAMA EN TRES ACTOS DE
ANTONIO BUERO VALLEJO

EDICIONES
ALFIL
PREMIO NACIONAL DE TEATRO

COLECCION
TEATRO

TERCERA EDICION

Depósito Legal: CA. 23-1965   Núm. de Registro: 973-65

ESCELICER, S. A., Cádiz · Obispo Calvo y Valero, 4 al 12

A María Jesus Valdes

Estrenada en el TEATRO ESPAÑOL de Madrid, la noche del 11 de enero de 1952, con el siguiente

REPARTO

(Por orden de aparición)

Dione, esclava	CANDIDA LOSADA.
Esclava 1.ª	LUISITA ESPAÑA.
Esclava 2.ª	MARUJA RECIO.
Esclava 3.ª	MARA JEREZ.
Esclava 4.ª	ESPERANZA GRASES.
Euriclea, la nodriza	JULIA DELGADO CARO.
Penélope, la reina	MARIA JESUS VALDES.
Telémaco, su hijo	JACINTO MARTIN.
El Extranjero	GUILLERMO MARIN.
Antinoo	FERNANDO M. DELGADO.
Eurímaco ⎫	ALBERTO BOVE.
Pisandro ⎬ *los pretendientes*	JOSE MARIA HORNA.
Leócrito ⎭	RAFAEL GIL MARCÓS.
Anfino	GABRIEL LLOPART.
Eumeo, el porquerizo	JOSE CUENCA.
Filetio, el pastor	JOSE CAPILLA.
Voces de los partidarios.	

En la Grecia Micénica, anterior a los días de Homero.

Derecha e izquierda, las del espectador.

Decorado y vestuario: VICENTE VIUDES.
Canción: MANUEL PARADA.
Dirección: CAYETANO LUCA DE TENA.

ACTO PRIMERO

Galería en el palacio de Ulises, rey de Itaca —hoy, palacio
de Penélope—. Es un alto mirador abierto al gran patio
de festines, que se supone al fondo. En el primer término,
y a todo lo largo de la escena, tres gradas. En medio del
foro se encuentra el aposento del telar de la reina: una
amplia garita o templete cuadrado con la puerta al frente,
cuyos cimientos posteriores se suponen en el patio y cuyo
frente descansa sobre el suelo de la galería. De sus lados
arranca la balaustrada que cierra el foro y desde la que se
mira al patio, que va a parar a los adintelados de piedra
de cada lateral. Dos grandes cortinas que llegan al suelo,
pendientes de dos barras que parten del templete y se in-
sertan en los adintelados, ocultan ahora el patio a las mi-
radas de los personajes. El adintelado de la izquierda ca-
rece de puerta y conduce al gineceo; el de la derecha tiene
entornada su puerta de madera y bronce, que aisla los apo-
sentos femeninos, cuya primera estribación es la galería,
del resto del palacio. En los pilares de los adintelados,

tearios. En la pared del templete y a la derecha de la
puerta están colgados, bien visibles, la aljaba y el enorme
y grueso arco de Ulises. El cielo abierto es ya oscuro, pero
los últimos fuegos de la tarde se filtran todavía por las
rendijas de las cortinas. Inundan asimismo el interior del
templete por el ancho ventanal al patio que posee en su
fondo. Un ventanal apenas visible, porque el gran telar en
que la reina teje el sudrio de Lartes, aunque situado algo
a la izquierda, impide casi completamente apreciar los de-
talles de la estancia, y sólo vemos a través de la puerta
entornada, un fragmento de la parte posterior del telar y,
a su derecha, un alto candelabro de bronce, apagado.

> *(Tras la tela, sentada e invisible, la reina* PENELOPE
> *está tejiendo. Al lado de la puerta, en pie e inmóvil,
> de frente al proscenio y con la cara levantada, la
> vieja nodriza* EURICLEA, *que está ciega. Sentadas aquí
> y allá, a lo largo del graderío, cinco esclavas deva-
> nan y arreglan entre sí madejas de diversos colores,
> sacadas de un par de cestas planas que hay en el
> suelo. La esclava que se encuentra a la derecha y
> en el escalón más alto es* DIONE, *que sostiene una
> madeja mientras lía el ovillo; más abajo y a la iz-
> quierda, la* ESCLAVA 4.ª *Durante el trabajo, recitan
> las cinco para su reina una ruda melopea poética
> sin melodía.)*

CORO.—*(Voces altas y sonoras.)*

Penélope es la estrella que luce en el palacio.
Los dioses la sonríen mientras, dulce, se afana,
y premian con mercedes constantes sus desvelos.
Ella es la araña de oro que teje nuestra dicha.
La traspasa y sostiene la prudencia de Ulises
y los vasallos gozan de su paz vigilante.
Porque la casa brille, mueve su lanzadera.
Artífice es de gracias, riquezas y alegrías.

> *(Callan. Entonces se oye la suave risa de* PENELOPE
> *en el templete: una risa penetrante, musical y mis-
> teriosa, plena de inmenso y contenido regocijo. Las
> esclavas atienden e inician rápidos y confidenciales
> comentarios, en tono irrespetuoso.)*

DIONE.—¡Ya está riendo la viuda!

> *(Continúa atenta al templete, mientras las demás hablan.)*

ESCLAVA 1.ª—*(La primera de la izquierda.)* No tardará en gemir... Moan

ESCLAVA 2.ª—Si, al menos, gimiese por la leña desperdiciada...

ESCLAVA 3.ª—Y por los carneros degollados...

ESCLAVA 4.ª—Y por el palacio saqueado. Y por la miseria que nos ahoga.

EURICLEA.—¡Silencio! La reina teje. *(Todas enmudecen y siguen su trabajo. La expresión de DIONE cambia, y, ante el contenido susto de las otras, coge un ovillo rojo que tiene a su lado y se levanta para ir, cautelosa, al templete. (EURICLEA la siente llegar.) ¿Quién viene? (DIONE está ya junto a la puerta, por donde trata inútilmente de atisbar. La nodriza la detiene.) Dione, ¿verdad?*

DIONE.—*(Inocente, después de hacer un guiño a las demás y poner el ovillo en manos de EURICLEA.)* Traigo lana azul, Euriclea.

EURICLEA.—La reina no la ha pedido. *(Palpa.)* Y este ovillo no es azul... Es rojo.

> *(Las esclavas susurran, admiradas.)*

DIONE.—Es azul, nodriza...

EURICLEA.—¡A tu sitio, embustera! Te conozco bien.

> *(La empuja. Con un gesto de rabia, DIONE le arrebata el ovillo y se sienta, entre un coro de risitas ahogadas.)*

DIONE.—*(Furiosa, después de coger la madeja.)* ¿De qué reís vosotras?

> *(Todas rehuyen su mirada.)*

ESCLAVA 4.ª—*(Desviando el tema, prudente.)* Digo yo que, si a la reina la importara la miseria del palacio, se habría vuelto a casar. Si gime es por la muerte de su esposo.

ESCLAVA 3.ª—¿Por qué ríe, entonces?

ESCLAVA 4.ª—También por Ulises. Ríe cuando le recuerda joven. ¿No crees, Dione?

DIONE.—Creo que sois unas necias. (*Burlona.*) ¿Por qué gime Penélope? ¿Por qué ríe Penélope? (*Vuelve a oírse en el templete la dulce risa de* PENELOPE, *que todas escuchan. Remedándola.*) ¡Ji, ji ji! ¡Por Ulises. ¡Bah!

ESCLAVA 1.ª—¡Chist! Puede oírte Euriclea.

DIONE.—(*Levantando, provocativa, la voz.*) ¿Esa? No sólo está ciega, sino sorda.

ESCLAVA 3.ª—(*Temerosa.*) Pero ve y oye con las manos...

(*Todas miran a* EURICLEA, *que no se mueve, con vago temor. Pausa.*)

ESCLAVA 1.ª—Pues yo creo que la reina espera todavía la vuelta de Ulises.

DIONE.—¡Estúpidas! Tan bien como vosotras, sabe ella que es viuda. Y que le llaman "la viuda" en todo el país. (*Confidencial.*) Escuchad: Yo sé bien por qué ríe la viuda. Y por qué gime. Y lo que borda en el sudario.

ESCLAVA 2.ª—Tú no sabes nada.

DIONE.—¡Todo, todo lo sé!

ESCLAVA 2.ª—(*Elevando la voz.*) No te hagas la misteriosa. Sabes lo mismo que nosotras. ¡Nada!

DIONE.—(*Muy alto.*) ¡Todo!

EURICLEA.—¡Silencio! (DIONE *la mira como una fiera acorralada.*) ¿Por qué no seguís vuestro canto? (*Imperiosa.*) ¿Qué esperáis?

ESCLAVA 1.ª—Sí, nodriza.

(*Inicia la tercera estrofa y las demás la siguen.* DIONE *permanece callada, con los ojos bajos, para mirar después al templete con fijeza creciente.*)

CORO.—(*Sin melodía.*)

Para tus manos hilan tus amantes esclavas,
reina de nuestras lanas y nuestros corazones.
La divina Artemisa tu honestidad bendice
y hasta la misma Helena te envidia tu belleza.

(*Breve pausa. Se oye muy suave, infinitamente apenado y lánguido, el lamento de* PENELOPE *en el templete.*)

DIONE.—¡Ya gimió!

ESCLAVA 3.ª—(*Aburrida.*) ¡Y qué! Siempre lo hace.

DIONE.—¡Pero no como tú! ¡Ni como tú...! Vosotras gemís por las noches, cuando los pretendientes os toman para distraer su espera. ¡Y ella gime sola!

ESCLAVA 2.ª—(*Malévola.*) No todos los pretendientes se distraen con las esclavas...

    (*Risitas contenidas de las otras.*)

ESCLAVA 1.ª—No. Anfino es muy puro. Nadie logra conmoverle.

    (**DIONE** *se levanta, iracunda.*)

ESCLAVA 2.ª—(*Incisiva.*) Ni es la reina la única mujer que gime sola.

    (*Las risitas se convierten en carcajadas.*)

DIONE.—(*Abalanzándose sobre ella.*) ¡Raposa!

    (*La golpea, tirándola al suelo. Las demás gritan y tratan de separarlas. Las madejas ruedan por los peldaños.* **EURICLEA** *se adelanta, tanteando el aire.*)

EURICLEA.—¡Silencio! La reina teje y no debe ser distraída. (*Trata, inútilmente, de separarlas.*) ¡Oh, dioses, cuánta calamidad! ¡Seréis castigadas! ¡Serás azotada, Dione! ¡Tú eres la más culpable!

    (*Entonces se oye, airada y dura, la llamada de* **PENELOPE.**)

PENELOPE.—(*Voz de.*) ¡Euriclea! (*La nodriza se detiene, temblorosa. Las esclavas recogen presurosas sus ovillos.* **DIONE** *vuelve a su sitio, no demasiado aprisa. Pausa.* **PENELOPE** *asoma a la puerta del templete y mira a todas con desdén. La reina ya no es joven, pero aún es bella; su macizo y armonioso cuerpo se yergue lleno de majestad, y en la contradictoria expresión habitual de su rostro riñen permanente batalla el sonriente orgullo y la tímida ansiedad. Ahora se muestra seria.*) Pareces haber olvidado, Euriclea, que, mientras yo tejo no debes separarte de la puerta.

EURICLEA.—Perdóname, ama. Las esclavas...

PENELOPE.—*(Terminante.)* No debes separarte de la puerta. *(Breve pausa.)* Las esclavas disputaban de sus naderías, como torpes animalejos que son. ¿No es cierto?

> *(Menos* DIONE, *las esclavas se inclinan, sumisas.)*

ESCLAVAS.—Sí, ama.

PENELOPE.—Comprendo que os canse recitar. La rapsodia que compuso para mí el viejo cantor del palacio antes de morir, no es muy bella... Aquel pobre hombre nunca estuvo muy inspirado. Pero yo tejía tranquila, hasta que vuestras voces me han hecho levantar. *(Avanza unos pasos y mira a* DIONE, *diciendo:)* Que no vuelva a ocurrir.

> *(Todas miran a* DIONE.)

DIONE.—*(Ante la mirada de todas.)* Discúlpanos, ama. Con el oscurecer nos cansamos, porque ya no se acierta a ver el trabajo. Entonces nos invade una ansiedad muy grande y, a veces, la disipamos con nuestras charlas.

EURICLEA.—¡Para eso se os ordena recitar!

DIONE.—*(Rápida, a* PENELOPE.) Es que también oímos tus risas y lamentos, y...

PENELOPE.—*(Seca.)* ¿Qué dices?

DIONE.—*(Prudente.)* También tú te cansas, ama.

PENELOPE.—*(Tras considerarla un momento.)* Demasiada lengua para una esclava. No lo olvides.

DIONE.—No, ama.

PENELOPE.—¡Y no contestes! *(Pausa.)* Retiraos. *(Las esclavas recogen sus cosas y, después de inclinarse, salen en silencio por la izquierda.* PENELOPE *se acerca a la derecha del foro y atisba el patio por la rendija de la cortina. Comenta, con un sorprendente tono de alegría:)* Mis pretendientes terminaron su comida. Los criados devoran ahora las sobras... Hay hambre en la casa.

EURICLEA.—Ama: déjame castigar a Dione.

PENELOPE.—*(Sin volverse.)* No. *(Riendo suavemente.)* El pastor Filetio me ha dicho que sólo nos queda un rebaño... Todo lo han consumido esos hombres.

EURICLEA.—¿Por qué nunca me dejas castigar a Dione?

PENELOPE.—*(Se vuelve, sonriente.)* Mi hijo Telémaco se apiadaría y la querría más. Lo sabes muy bien, nodriza.

(Breve pausa.) Cuando le autoricé su viaje por mar, en busca de su padre..., no lo hice sólo por librarle de las celadas de los pretendientes. Ni tampoco para que encontrase a mi esposo... No. Ulises sabría, cuando quisiera, encontrar solo el camino de esta casa. *(Breve pausa.)* Pero había que alejarle de Dione. Y ya ves; no sirvió de nada. Y ahora me odia, lo sé...

EURICLEA.—¡Ama!

PENELOPE.—Me odia porque sabe que no quiero a esa entrometida. Y si la castigase..., me odiaría más *(Suspira.)* ¡Es muy difícil ser madre, Euriclea! *(Sombría.)* Y más difícil aún, ser reina.

EURICLEA.—Tú sabrás, ama. Yo no soy más que una pobre mujer...

PENELOPE.—Como yo. ¿Qué le vamos a hacer? Este palacio, que fué ayer de Ulises, se empobrece hoy porque está a cargo de una débil mujer... y una ciega.

EURICLEA.—*(Melancólica.)* Sí. Hace treinta años que soy ciega. Y hace veinte que...

PENELOPE.—Que soy viudad, ¿no?

EURICLEA.—¡Ama!

PENELOPE.—¡Dilo! Sé que todos lo dicen.

EURICLEA.—*(Suave.)* Sólo iba a decir que Ulises marchó hace veinte años a la guerra de Troya. *(Breve pausa.)* Soy ciega, ama. Y casi sorda. Pero oigo a los dioses invisibles que nos rodean... Escucho los pasos fatales de las Furias vengadoras, cuando rondan esa escalera... *(Por la derecha.)* Soy ciega, y por eso tú me pones a la puerta de tu telar, para que ni yo ni nadie veamos las figuras que tejes, ahí dentro... Ciega y casi sorda, apenas vivo... más que para ti. *(Transición.)* ¡Y por eso te conozco bien! Sé que eres fuerte y astuta, como tu esposo Ulises. ¡Astuta, muy astuta frente a los pretendientes, y tú lo sabes! Y muy dura frente a otros caprichos de tu hijo. ¿Qué se te da a ti de que Telémaco guste de Dione? ¡Déjame castigarla!

PENELOPE.—No castigarás a Dione.

EURICLEA.—Pero, ¿por qué?

PENELOPE.—Te lo he dicho. Por Telémaco. *(Pausa.)*

EURICLEA.—Tienes razón. Soy ciega. La oscuridad me aplasta y me impide comprenderte. Nada sé de ti. (PENELOPE

la mira fijamente.) Sólo sé que ríes y gimes cuando
tejes.

>   *(La reina se le acerca despacio.)*

PENELOPE.—¿Y qué más?

EURICLEA.—Algo más, ama... Sé que cuando alguna nueva
desgracia nos abate... Cuando te anuncian que se aca-
ban las reses, o que hay que aguar el vino escaso, o
que esos bandidos te robaron tus joyas, entonces...

PENELOPE.—*(A su lado.)* ¿Entonces?

EURICLEA.—Entonces no gimes. Ríes.

PENELOPE.—*(Retirándose brusca, para volver al foro.)* No
es cierto.

EURICLEA.—¡Acabas de hacerlo! Te oí reír ahora, cuando
miraste a los criados en el patio.

PENELOPE.—*(Irónica.)* Tus pobres oídos creen sentir muchas cosas. La risa de los dioses... y los pasos de las
Furias en la escalera. *(Ante el silencio de* EURICLEA, *se
vuelve.)* ¿Qué te ocurre?

EURICLEA.—*(Temblando.)* Como ahora ama... Las Furias su-
ben... y la Venganza sube con ellas. ¿No las oyes? ¡Su-
ben!

>   *(Señala a la derecha y se enfrenta con la puerta.
>   Después de escuchar un segundo,* PENELOPE *se acerca
>   decidida a la puerta y mira.)*

PENELOPE.—*(Sonriente.)* Tranquilízate, nodriza. Sólo es Telémaco.

>   *(*TELEMACO *entra cuando su madre aún no terminó
>   de hablar. Es un adolescente atormentado por sus
>   deseos de madurez, que el desvío de* DIONE *y la burla
>   de los pretendientes, agrian.)*

TELEMACO.—Y un extranjero, madre, que quiero presen-
tarte.

>   *(El* EXTRANJERO *aparece inmediatamente tras él.
>   Es un viejo mendigo de cabellos grises y mirada hui-
>   diza, recio, encogido por los reveses de la for-
>   tuna, que se apoya en un alto garrote de viaje. Ante
>   la reina, se inclina en silencio.)*

PENELOPE.—(*A* TELEMACO, *extrañada y altiva.*) ¿Por qué?

TELEMACO.—(*Con acento de triunfo.*) Porque trae noticias de mi padre. ¡Ulises estará pronto aquí! ¡Este hombre le ha visto!

PENELOPE.—(*Tras considerar al* EXTRANJERO, *con voz helada.*) No es el primero.

TELEMACO.—(*Casi hostil.*) ¡Ah, no es el primero! Tú nunca quieres creer. ¡Pero ahora tendrás que convencerte!

PENELOPE.—No seas niño. ¿Es cierto que traes noticias, extranjero?

EXTRANJERO.—(*Inclinándose.*) Es cierto, reina.

PENELOPE.—El palacio es pobre y, por buenas que fueran, no podría recompensarlas.

TELEMACO.—No busca eso. El porquerizo Eumeo y el pastor Filetio reparten con él su comida. No pide más.

PENELOPE.—Calla tú. (*Al* EXTRANJERO.) ¿Cuándo viniste?

EXTRANJERO.—Ayer desembarqué en tus playas, reina. Filetio me recogió al anochecer.

PENELOPE.—¿De dónde vienes?

EXTRANJERO.—Yo hice la guerra en Troya con los aqueos. Y ahora vengo de Esparta. Del palacio de Menelao y Helena.

PENELOPE.—¡Cómo!

EXTRANJERO.—Sí, reina. Allí vi a tu esposo.

TELEMACO.—¿¿Oyes, madre? ¡Con sus propios ojos le ha visto!

PENELOPE.—(*Reservada.*) ¿En Esparta?

EXTRANJERO.—Allí estaba cuando yo llegué. Sano y salvo de sus aventuras, pero triste. Menelao y Ulises estaban tristes porque eran días de luto en el palacio.

PENELOPE.—(*Con rara ansiedad.*) ¿Quién había muerto? ¿Helena?

EXTRANJERO.—No. Pero ella no estaba triste. Su carácter no es dado a tristezas.

PENELOPE.—¿Quién, entonces?

EXTRANJERO.—Agamenón. Un mensajero trajo la noticia a Menelao de que su hermano Agamenón había sido asesinado al volver de Troya.

PENELOPE.—¿Asesinado?

EXTRANJERO.—Sí. Por su mujer, Clitemnestra..., y el aman-

te. Ulises, desde entonces, paseó solo por la playa, todas las tardes. Me acerqué y le hablé varias veces.

TELEMACO.—¡Cuenta a mi madre lo que te dijo!

EXTRANJERO.—(*Vacilante.*) Te lo dije, ignorando quién eras.
No me fuerces a contarlo, reina.

PENELOPE.—¿Tan grave es?

EXTRANJERO.—No es adecuado a tus oídos...

PENELOPE.—No seré yo la última en saberlo aquí. Cuenta.

EXTRANJERO.—Pues... Ulises quería partir para aquí dos lu-
nas más tarde. Y me dijo que..., después de saber lo
ocurrido con Agamenón al volver a su hogar..., tenía
que pensarlo.

(*Un gran silencio.*)

PENELOPE.—Vete, Euriclea. Y tú también, Telémaco.

(EURICLEA *se retira por la izquierda, vacilante.*)

TELEMACO.—(*Vagamente avergonzado del entusiasmo con
que ha seguido y subrayado la narración del* EXTRANJE-
RO.) Perdona, madre. Creí que debías ser enterada.

PENELOPE.—(*Mirándole de arriba a abajo.*) Vete. (TELEMACO
baja la cabeza y se dispone a salir por la izquierda.)
¡Telémaco! (*Este se detiene. Señalándole la derecha:*)
Por allí.

TELEMACO.—(*Molesto.*) Sí, madre.

PENELOPE.—Siéntate ahí. (*Por los peldaños. El* EXTRANJERO
*la obedece y se sienta en el primer término derecha.
Ella pasea a sus espaldas, observándole de reojo y evi-
tando sus intentos de mirarla.*) No tienes cara de ser
veraz... Nos has dicho algo desagradable, y no sé si es
una astucia refinada para que te creamos.

EXTRANJERO.—(*Se encoge de hombros.*) A los mendigos no
nos cree nadie.

PENELOPE.—Por algo será. (*Breve pausa.*) ¿Dices que has
visto a Ulises?

EXTRANJERO.—Allí quedaba cuando partí.

PENELOPE.—Y... ¿hace mucho tiempo?

EXTRANJERO.—Cuatro años.

PENELOPE.—Hum... No sé si creerte. Eres el tercero que
me afirma haberle visto, pero él no vuelve.

EXTRANJERO.—Ya te dije que...

PENELOPE.—Calla. Tal vez sea cierto que no se decide a volver. Y tal vez sus huesos blanqueen al sol desde hace veinte años. No serás tú quien me convenza de ninguna de las dos cosas. *(Pausa. Se detiene a sus espaldas, espiándole.)* ¿Es cierto, al menos, que estuviste en Esparta?

EXTRANJERO.—*(Suspirando.)* Estuve en Esparta y vi a Ulises.

PENELOPE.—*(Anodina.)* Y a Helena, ¿la viste?

EXTRANJERO.—La vi. Tu esposo me decía que, en medio de todo, Menelao tuvo la suerte de rescatar a su mujer, y...

PENELOPE.—*(Que se ha sentado muy cerca, aunque más alta y algo a espaldas de él.)* ¿Cómo está Helena? *(El la mira.)* ¿Qué piensas? Contesta.

EXTRANJERO.—¿Es de Ulises de quien quieres saber, o de Helena?

PENELOPE.—También de Ulises, claro. Pero Helena, ¿cómo está?

EXTRANJERO.—Siempre alegre. Ya te lo dije.

PENELOPE.—No es extraño. Una mujer capaz de suscitar tal guerra, no puede ser reflexiva. Ni soñadora. Alegre, alegre como un animalillo satisfecho, ¿no es eso?

EXTRANJERO.—*(Admirado.)* ¿La conoces?

PENELOPE.—*(Con una sonrisa sarcástica.)* Nunca la vi. ¡Estará ya vieja!

EXTRANJERO.—¿Te agradaría que así fuese?

PENELOPE.—¿Por qué dices eso? Es una simple pregunta. Ella tiene... más, mucho más de cuarenta años. Y luego, con esa vida de crápula continua...

EXTRANJERO.—¿Y si te dijese que sigue bella?

PENELOPE.—¿Es cierto?

EXTRANJERO.—Muy bella. Hasta el corazón de los ancianos late con fuerza cuando ella pasa. Y su esposo sólo tiene ojos para admirarla..., y siempre la perdona.

PENELOPE.—*(Con desprecio.)* Ese pobre hombre...

EXTRANJERO.—Tú lo dices, no yo. Los humildes no debemos juzgar a los reyes. Pero Helena es tan hermosa que..., incluso una guerra como la de Troya, puede comprenderse por ella. Yo no soy más que un viejo guerrero... Cuando tomé mujer no pude ser muy exigente. Era una criatura torpe y fea. Yo estaba, sin embargo, contento con ella, porque sólo debemos aspirar a lo que nos corresponde. *(Breve pausa.)* Pues yo he envidiado a Menelao, y a París, y a todos los que tuvieron a Helena. Yo la he visto en Esparta... y he comprendido el rapto, y los crímenes, y me he sentido, por primera vez, ambicioso de poder y riquezas para lograr a esa mujer.

PENELOPE.—*(Levantándose para ir al templete, sin poder disimular su desagrado.)* Basta.

EXTRANJERO.—*(Rápido.)* Claro es que la fidelidad es superior a la belleza, ¿quién lo duda? Helena no es más que una hembra mala y peligrosa.

PENELOPE.—Te excedes. Deja tus artimañas. *(Recalcando.)* Y no juzgues a los reyes..., ni a las reinas. Y ahora, retírate.

    (El EXTRANJERO se levanta.)

EXTRANJERO.—Disculpa a un viejo que necesita mendigar su pan...

PENELOPE.—*(Con abierta sonrisa de simpatía.)* ¿Es una excusa? Me has mentido en todo, ¿verdad? Si lo reconoces, te perdonaré.

EXTRANJERO.—Sólo te he dicho la verdad, reina.

PENELOPE.—*(De nuevo fría.)* Vete.

EXTRANJERO.—*(Quejoso.)* Hay que mentir... *(Va hacia la puerta.)* Yo paso hambre porque no sé hacerlo... Triste vida...

    (Se oyen voces y carcajadas en el patio; entre ellas, la de TELEMACO, que grita varias veces. El EXTRANJERO se detiene.)

TELEMACO.—*(Voz de.)* ¡Dejadme...! ¡Dejadme!

PENELOPE.—*(Imperiosa.)* Mira lo que ocurre.

EXTRANJERO.—*(Mirando por la cortina.)* Cinco hombres. Y tu hijo, entre ellos, rabioso... Le sujetan y quieren atarlo... *(Ansiedad de PENELOPE.)* No, vi mal... Uno de los cinco trata de defenderle, pero no puede...

PENELOPE.—*(Con repentina suavidad.)* Ese es Anfino.

EXTRANJERO.—*(Mirándola.)* Anfino será... *(Vuelve a mirar*

por la cortina.) Parece una broma, todos ríen... Menos
ese Anfino.

ANTINOO.—*(Voz de.)* ¡Queremos ver a Penélope!

PISANDRO.—*(Voz de.)* ¡Y lo que teje Penélope!

VOCES DE LOS PRETENDIENTES.—¡Eso, eso...!

> *(PENELOPE cierra la puerta del templete rápidamen-*
> *te y da vuelta a la llave, que se guarda.)*

EXTRANJERO.—*(En tono de reprobación humilde.)* No soy
un ladrón.

PENELOPE.—*(Sorprendida y airada.)* ¿Qué?

EXTRANJERO.—Los pobres conocemos ese gesto... Pero conmigo no es preciso hacerlo.

PENELOPE.—Aprende una cosa, extranjero, mientras estés
aquí. ¡Nadie, salvo yo, debe entrar en este aposento!

EXTRANJERO.—*(Ingenuo.)* ¿Por qué?

PENELOPE.—*(Despectiva.)* ¡No preguntes!

> *(Y sale por la izquierda. Los rumores del patio*
> *se apagaron ya. El EXTRANJERO se acerca al templete*
> *y examina la puerta. De repente se precipita al pri-*
> *mer término izquierda y espera, sumiso y sonriente.*
> *Por la derecha aparecen los pretendientes: ANTINOO,*
> *EURIMACO, PISANDRO y LEOCRITO. Tras ellos, melancó-*
> *lico y sereno, ANFINO, el quinto pretendiente. Nada*
> *más entrar, se paran al ver al mendigo, y éste salu-*
> *da. Entonces ANTINOO —un joven guapo y presun-*
> *tuoso, que viene completamente borracho— se le*
> *acerca y le pone, con gravedad de beodo, la mano*
> *en el hombro. ANFINO se separa del grupo y va a re-*
> *costarse en la esquina del templete.)*

ANTINOO.—Sin moverse, ¿comprendes? Ni gritar

EXTRANJERO.—Como tú dispongas.

ANTINOO.—Sin moverse ni gritar.

EXTRANJERO.—Tú mandas.

ANTINOO.—Eso es. Nada de movimientos; nada. Ni de gritos. Así hemos dejado a Telémaco. *(A los demás.)* ¿Verdad, amigos? *(Al EXTRANJERO.)* ¡Pero vivo! Eso sí. Nosotros no somos crueles. Se lo hemos prometido a Penélope. Si alguien estorba..., atarle y amordazarle. Nada
más. ¿De acuerdo?

EXTRANJERO.—De acuerdo.

ANTINOO.—Porque nosotros somos muy buenos y queremos mucho a la reina. ¡Y sus deseos son ley! (*Amenazador.*) Y como tú no la obedezcas...

EXTRANJERO.—(*Protestando.*) Si la obedezco...

ANTINOO.—(*Amenazándole con el dedo.*) Haces bien. (*Breve pausa.*) Y a todo esto, ¿quién eres tú?

EXTRANJERO.—Y tú, ¿quién eres?

(*A* LEOCRITO, *que venía royendo un racimo de uvas, se le escapa la risa.*)

ANTINOO.—¿De qué te ríes tú, vamos a ver? (*Por el Extranjero.*) ¿Quién es éste?

PISANDRO.—(*Un cínico.*) Un viejo preguntón.

EXTRANJERO.—Soy un pobre que mendiga su pan. Llegué ayer, después de pasar muchas calamidades. Una poca pitanza... y os serviría bien. Se hacer muchas cosas.

ANTINOO.—¿Sabes abrir puertas?

EXTRANJERO.—Si se tercia... ¿Qué puerta es?

ANTINOO.—Aquélla.

(*Señala el templete.*)

EXTRANJERO.—Aquélla es de la reina. ¿Para qué quieres abrirla?

EURIMACO.—(*Un tortuoso hipócrita. Se acerca suave.*) Ten cuidado con nosotros, piojoso, y no preguntes demasiado. Te diriges a reyes.

EXTRANJERO.—(*Con un gesto de excusa.*) Debí ver antes vuestro porte majestuoso. Pero sois muy jóvenes...

ANTINOO.—¿Te crees que por ser un carcamal puedes llamarnos niños? ¿A que te amordazo?

PISANDRO.—Este es como nuestros padres. ¡Vamos a atarlo!

LEOCRITO.—Todos estos vejestorios nos desprecian porque estuvieron en Troya. No hay que presumir tanto.

(*Tira el escobajo del racimo y se limpia las manos en la túnica.*)

EXTRANJERO.—Sin duda, sin duda. Yo también estuve en Troya y, ya veis: ahora no soy nadie.

ANTINOO.—Así hay que pensar.

EXTRANJERO.—¿Y decís que sois reyes?

ANTINOO.—*(Con orgullo.)* Lo seremos. Yo soy Antinoo, hijo del rey Eupites.

LEOCRITO.—Y yo Leócrito, hijo de Evenor.

EURIMACO.—Todos somos príncipes de las islas de Itaca.

ANFINO.—*(Sencillo.)* Pero no somos reyes. Sólo Ulises era nuestro rey.

ANTINOO.—¡Habló el humilde!

PISANDRO.—¿Quién se acuerda de Ulises?

EURIMACO.—Callad, amigos. Anfino dice que no somos reyes... porque él no lo es. Como no tiene territorios, ni súbditos, aspira a ser nuestro rey, si se casa con Penélope.

PISANDRO.—Ya. Otro tirano, como lo fué Ulises. No queremos más tiranos.

ANTINOO.—*(Al* EXTRANJERO.*)* ¡Mueran los tiranos!

PISANDRO.—*(Avanza.)* No grites tanto y gana tu apuesta. Habíamos subido a algo, me parece.

ANTINOO.—¡Ya, ya voy! ¿Crees que no lo voy a hacer?

(Empuja al EXTRANJERO *con rudeza y se dirige a la puerta del templete. Todos se aproximan.)*

PISANDRO.—No presumas de músculos. La puerta es fuerte.

ANTINOO.—¡Lo veremos!

*(*ANFINO *se desliza tranquilamente hacia la puerta y se cruza de brazos bajo su dintel.)*

ANFINO.—No, Antinoo. No debemos abrirla.

ANTINOO.—¿Por qué? ¿Porque lo dices tú?

ANFINO.—*(Calmoso.)* Porque Penélope no quiere.

ANTINOO.—¿Y quién es Penélope?

ANFINO.—La mujer cuyos deseos son ley. Tú lo has dicho.

EURIMACO.—*(Interviene.)* Oye, Anfino. ¿No aspiras tú a desposarte con ella?

ANFINO.—Como todos vosotros.

EURIMACO.—*(Señalando el templete.)* ¿Y no sabes que hasta que no termine el sudario no se casará?

ANFINO.—¿Y qué?

LEOCRITO.—Que hoy no la hemos visto trabajar.

ANFINO.—Pero lo ha hecho.

ANTINOO.—¡No importa! ¡Yo quiero ver el sudario!

ANFINO.—Llámala para que te lo enseñe desde aquí, como hace siempre.

ANTINOO.—No. ¡Estoy harto de ver que el sudario no avanza! ¡Quiero verlo de cerca! ¡Aparta!

ANFINO.—(Duro.) Retírate de aquí.

PISANDRO.—¿Vas a perder la apuesta?

> (ANTINOO se siente espoleado y forcejea con ANFINO para apartarlo, pero éste lo repele con una violencia que le hace tambalearse.)

ANFINO.—No luches ahora conmigo. No puedes sostenerte.

ANTINOO.—(Rojo de ira.) ¡Miradle! ¡El no participa de nuestros juegos, él no bebe...! Tienes tanta prisa como nosotros, pero prefieres que otros apremien a Penélope por ti. ¡Hipócrita! ¡Te voy a...!

> (Pero tienen que sostenerle entre otros dos, completamente mareado.)

ANFINO.—Más valdría que os lo llevárais a dormir.

EURIMACO.—No sin ver antes a la reina.

PISANDRO.—Y a las esclavas. ¡Te olvidas de las esclavas!

LEOCRITO.—¿Cómo no las iba a olvidar? Ya sabéis que Anfino es para eso muy... inapetente. *lack of appetite*

ANFINO.—(Violento.) ¡Leócrito!

LEOCRITO.—(Se le acerca, provocativo.) ¡Qué! (Todos se acercan.) Venid; nos llama Anfino.

PISANDRO.—¿Qué?

EURIMACO.—¿Qué quieres de Leócrito?

ANTINOO.—(Sujeto todavía por EURIMACO.) ¿Y de nosotros?

> (Breve pausa. ANFINO los mira, desdeñosos. Ellos se acercan un poco más, amenazadores. El EXTRANJERO, que permanecía durante la escena anterior en (Breve pausa. ANFINO los mira, desdeñoso. Ellos

EXTRANJERO.—(Trivial.) ¿También tú eres hijo de rey, Anfino?

PISANDRO.—(Con una gran risotada.) ¡Ja...!

LEOCRITO.—(Riendo.) ¡El viejo preguntón!

EURIMACO.—(Risueño.) Se nos une. Sabe lo que hace.

> (Todos miran al EXTRANJERO y él sonríe, servil.

*El grupo se ha dispersado ligeramente. El peligro
para* ANFINO *pasó. El mendigo avanza y se enfrenta
con él. Los demás le hacen paso, divertidos.)*

ANFINO.—No te burles, anciano.

EXTRANJERO.—No lo pretendía... Pero tú no has dicho
quién es tu padre.

ANFINO.—*(Amargo.)* ¿Qué te importa? Yo no soy nadie.
Un huérfano sin hogar ni riquezas. Otro pobre como
tú.

PISANDRO.—Yo te lo diré: su padre fué un rey de Duliquio.

EURIMACO.—*(Irónico.)* No. Debes decirlo como él: su padre fué Niso Aretíada: un fiel vasallo de Ulises y su
mejor amigo.

(Un silencio.)

EXTRANJERO.—Lo vi luchar. Fué un gran jefe.

ANFINO.—*(Amargo.)* Ahórrame tus halagos, miserable. Yo
no puedo darte nada.

(Los pretendientes sonríen, burlones, y el EXTRAN-
JERO *se inclina en un gesto de excusa.* TELEMACO *ha
aparecido en la puerta de la derecha, con la faz con-
traída por la furia.)*

TELEMACO.—¡Anfino!

(Todos se vuelven a mirarle.)

ANTINOO.—¡Oh...! ¡Ya desataron al polluelo!

*(*TELEMACO *avanza hasta enfrentarse con* ANFINO.)*

TELEMACO.—¿Cuántas veces te he dicho que no quiero que
me defiendas? Sé lo que pretendes con eso. ¡Pero te juro que antes daría mi madre a cualquiera de estos bandidos que a ti!

PISANDRO.—*(Riendo.)* Salvo el insulto, ¡bravo!

ANFINO.—¿Por qué me odias? Yo no soy culpable de tus
disgustos.

TELEMACO.—*(Rabioso.)* ¿A qué te refieres?

ANFINO.—*(Suave.)* No quise molestarte.

TELEMACO.—¡Pero lo has hecho!

ANTINOO.—¡Ánimo, polluelo!

ANFINO.—¡No le incitéis contra mí!

PISANDRO.—¡Golpéale!

ANFINO.—¡No lo hagas, Telémaco!

TELEMACO.—¡Creo que voy a hacerlo!

LEOCRITO.—¡Dale al gallo, polluelo! ¡No se enfadará!

EURIMACO.—Tal vez así ...le gustes a Dione.

ANFINO.—¡Calla, Eurímaco!

> *(Apenas tiene tiempo de sujetar por la muñeca el puño de TELEMACO, que se levantó ya contra él. Por un momento, lo mantiene en el aire, hasta que se lo hace bajar. TELEMACO no puede evitar un gemido de dolor. A tiempo de oírlo, PENELOPE asoma por la izquierda. En cuanto la ve, ANFINO suelta a TELEMACO, que se coge el brazo magullado. PENELOPE avanza unos pasos, seguida de EURICLEA y las esclavas. Los pretendientes retroceden hacia la derecha. La reina se detiene. EURICLEA y las esclavas forman tras ella un grupo apretado a la izquierda. ANFINO permanece junto al templete. El mendigo se ha situado a la izquierda de éste, adonde se le une TELEMACO. El sol se puso hace tiempo, y la pálida claridad lunar ilumina ahora desde lo alto la escena. Una pausa. EURIMACO da al fin un paso al frente, dispuesto a hablar.)*

PENELOPE.—No, no me digáis nada. Sé bien a qué venís. Como veis, os la traigo yo misma... Así puedo, al menos, hacerme la ilusión de que todavía mando.

EURIMACO.—Y tú mandas...

PENELOPE.—Callad. *(Breve pausa.)* Estáis borrachos. Como ayer, como todos los días... Esa es la hermosa competencia que libráis por mí. La competencia de ver quién bebe más.

PISANDRO.—*(Sin moverse del grupo que forman los pretendientes a la derecha.)* El vino es sagrado, Penélope.

PENELOPE.—¡Basta! No quiero oíros. Ahorradme vuestras voces tartajosas. *(Por las esclavas.)* ¿No las tenéis aquí? Pues ¿a qué esperáis?

EURIMACO.—No hemos subido a eso, reina.

PENELOPE.—¿A qué, entonces?

EURIMACO.—Hoy no te vimos trabajar en el sudario.

PENELOPE.—*(Sarcástica.)* ¡Vamos! Tenéis prisa. El palacio se empobrece, ¿no?

EURIMACO.—Por causa nuestra, es cierto. Pero de ti depende terminar.

PENELOPE.—Lo que ya os dije hace cuatro años os lo repito hoy: el padre de mi amado Ulises está viejo y no me uniré a nadie hasta que mis manos no le hayan tejido un sudario digno de un héroe.

EURIMACO.—Tú lo reconoces, Penélope. ¡Esperamos desde hace cuatro años!

PENELOPE.—*(Seca.)* Ya véis que trabajo todo el día. No puedo apresurarme más.

EURIMACO.—Acaso podrías... si quisieras.

(Breve pausa.)

PENELOPE.—*(Sin inflexiones.)* ¿Qué quieres decir?

EURIMACO.—A veces hemos visto luz aquí por las noches.

PENELOPE.—*(Rápida.)* Porque no duermo... Y vengo a respirar el aire puro de la mañana, para adormecerme.

EURIMACO.—Podrías entonces... trabajar por la noche también.

(Gran pausa.)

PENELOPE.—Es muy fácil decir eso. Paso horas frente al telar, me extenúo y pierdo el sueño... por vosotros. ¡Pero exigís más!

EURIMACO.—Te lo rogamos. *(Pausa.)*

PENELOPE.—¿Querríais que trabajase desde esta misma noche?

EURIMACO.—¿Por qué no?

PENELOPE.—Lo haré. Pero necesito ayuda para ello, ya lo sabéis... Dejadme las esclavas.

(Los pretendientes se miran, indecisos, y ella ríe. LEOCRITO cruza de pronto para asir brutalmente por el brazo a la ESCLAVA 2.ª)

LEOCRITO.—*(Cruzando de nuevo con ella.)* Otra noche tejerás.

(PISANDRO imita a LEOCRITO y coge a la ESCLAVA 1.ª, mientras dice:)

PISANDRO.—Sí, reina. Otra noche.

>   (PENELOPE *sigue riendo.* ANTINOO *cruza a su vez y coge a la* ESCLAVA 3.ª)

PENELOPE.—(*Mientras vuelve* ANTINOO *a su sitio.*) ¡Matad otro cerdo esta noche, consumid otro odre de vino! ¡Aún queda! (*Ríe.*)

EURIMACO.—(*Con un suspiro.*) Discúlpalos. Son muy impacientes.

PENELOPE.—(*Dura.*) ¡Coge la tuya!

>   (EURIMACO *tiende la mano, y la* ESCLAVA 4.ª, *tímida e inclinando la cabeza al pasar bajo la amonestadora mirada de la reina, la toma.*)

PISANDRO.—Que los dioses protejan tu descanso, reina.

>   (*Inicia la retirada.*)

ANTINOO.—(*Diciendo su tontería.*) Y no tengas celos... No son más que esclavas...

PENELOPE.—(*Despectiva.*) ¿Celos? Marchad, marchad con ellas... Instruídlas... Enseñadlas... una nueva rapsodia que cantar durante mi trabajo.

EURIMACO.—(*Desconcertado.*) ¿Una rapsodia?

PENELOPE.—(*Riendo.*) ¿Por qué no? Así ayudaríais a mi tejer. Sería un buen modo de pasar vuestras noches... con ellas. La que dicen ahora es tosca y fea... Les cansa (*Reprobadora.*) y se distraen del trabajo hablando de otras cosas.

>   (*Las esclavas se miran, avergonzadas.*)

ANTINOO.—(*Sin saber si ella bromea.*) El de poeta es un bajo oficio.

PENELOPE.—Y vosotros estáis tan altos... Bien. No lo hagáis. Y ahora, ¡marchaos!

>   (*Los pretendientes saludan y salen con las esclavas.*)

EURIMACO.—(*Antes de salir, suave.*) Te las dejaremos una de estas noches, para que trabajes. Yo te lo fío.

>   (*Sale con su esclava. Pausa.*)

EXTRANJERO.—Yo compondré esa rapsodia que deseas, reina. Creo saber lo que necesitas.

PENELOPE.—*(Extrañada.)* ¿Tú?

EXTRANJERO.—Los hombres de mi condición hemos de saber hacer de todo.

PENELOPE.—Veremos... Ahora, retírate.

EXTRANJERO.—Como aún no sé el camino de la choza de Eumeo, esperaba...

PENELOPE.—Telémaco. *(Este, que se acercó a* DIONE *cuando quedó sola y la importunaba en voz baja sin que ella se dignase atenderle, se sobresalta.)* Acompaña al Extranjero a la choza de Eumeo. *(Indecisión de* TELEMACO.*)* ¿Qué esperas?

TELEMACO.—*(Molesto.)* Voy, madre. Voy siempre...

(Cruza la escena.)

EXTRANJERO.—*(Inclinándose antes de salir con* TELEMACO.*)* Gracias por tu hospitalidad, reina. ¡Que la noche te sea grata!

(Sale con TELEMACO. *Pausa.* PENELOPE *se acerca a* ANFINO, *y luego se vuelve hacia* DIONE, *para mirarlos alternativamente.)*

PENELOPE.—*(Audaz.)* Puedes llevártela... Sólo queda Dione para ti.

(Esperanzada, DIONE *da unos pasos y aguarda anhelante.)*

ANFINO.—No, reina. Prefiero intentar todas las noches, pensando en ti, el bajo oficio de poeta.

PENELOPE.—*(Triunfante.)* ¡Entra en el gineceo, Dione! *(La esclava lo hace con un gesto de rabiosa decepción.* PENELOPE *se vuelve a* ANFINO, *sonriente y halagada.)* ¿Todas las noches?

ANFINO.—Todas las noches de mi vida, reina. Les has pedido una cosa riendo, pero yo sé que sufrías en el fondo, porque los quisieras muy distintos... *(La reina le tiende las manos.)* Yo te haré la rapsodia.

(Le besa las manos y sale, rápido. Una pausa. PENELOPE *cierra los ojos y pasa el dorso de sus manos*

*lentamente por la cara, con un gesto que es mitad
de emoción y mitad de dulce sueño. Luego se vuelve
hacia* EURICLEA, *que se encuentra encogida, inmóvil,
como atontada.)*

PENELOPE.—*(Sorprendida.)* ¿Que te ocurre? *(Se acerca y la
coge de los brazos.)* ¿Qué tienes?

EURICLEA.—¡Miedo!

PENELOPE.—¿Porque aludieron a la luz que hay aquí de noche? No son tan listos. No averiguarán nada.

*(Se vuelve al templete y saca la llave para abrir-
lo.)*

EURICLEA.—Ama..., ¿qué bordas en el sudario de Laertes?

PENELOPE.—*(Suave.)* Cosas...

EURICLEA.—¿Qué cosas?

PENELOPE.—*(En tono de amonestación.)* Euriclea.

EURICLEA.—Yo sólo quiero ayudarte, Penélope... ¿Por qué
ríes y lloras cuando bordas?

(Breve pausa.)

PENELOPE.—*(Bajando la cabeza.)* Ulises tarda. *(Con súbita
resolución abre el templete. Exaltada.)* ¡Tarda, tarda
mucho; tardará ya siempre!

EURICLEA.—¡Ama!

PENELOPE.—¡Viuda! ¿Por qué no me llamas viuda? Esa
viuda trastornada que teje su tela mientras el país se
arruina. Esa loca, que prefiere sus recuerdos a una
elección prudente, ¿no?

EURICLEA.—Nunca dije eso...

PENELOPE.—Se dice, y tú lo piensas. No hace mucho aún
me dijiste que ni la misma Artemisa me condenaría si
tomase nuevo esposo.

EURICLEA.—*(Con temor.)* Ya no te lo digo, ama. ¡No, no;
ahora no! Te hablé así entonces porque el palacio se
empobrece, pero...

PENELOPE.—¿Y qué? No soy yo la culpable. Si durante
años se desangran los ejércitos aqueos, ¿qué importa
que aquí caiga la sangre de los rebaños? Si perdemos a
nuestros esposos en plena juventud y nos vemos for-
zadas a quedar al frente de los hogares *(Con odio in-*

finito), tan sólo porque un tonto le robó a otro tonto una cualquiera, ¿a quién hay que inculpar de todas las miserias? ¡Responde!

EURICLEA.—Le obligaron a partir... No culpes a Ulises.

PENELOPE.—¡Qué, a Ulises! ¡A Helena! ¡A esa mujerzuela, a esa perdida! Hace veinte años que se le ocurrió sonreír a otro que no era su esposo... ¡Allá fueron los jefes de Grecia entera! Nosotros no éramos nada para ellos.

EURICLEA.—Agamenón los amenazó y tuvieron que ir...

PENELOPE.—Y a su vuelta, su propia mujer le mató. ¡Ella nos vengó a todas!

EURICLEA.—(*Horrorizada.*) ¡Pero tú no harías eso!

PENELOPE.—No. (*Con triste ironía.*) Yo soy la fiel Penélope... La prudente esposa del no menos prudente Ulises. Si él volviera, a todos nos sobraría prudencia: descuida. (*Se acerca al arco que pende de la pared y lo contempla.*) No. Yo no le mataría. (*Se vuelve.*) ¿Volverá, nodriza?

(*Ella misma hace melancólicos gestos negativos, mientras espera la respuesta.*)

EURICLEA.—(*Titubeante.*) No sé.

PENELOPE.—(*Acariciando el arco.*) Su arco me lo recuerda... Es fuerte y flexible a la vez, como él lo era. Con este mismo arco me conquistó. Para evitar disgustos, mi padre organizó una prueba entre mis pretendientes. También entonces los tenía, nodriza. Eran los veinte príncipes más hermosos de todo el territorio. Mi padre dijo: "Quien tienda el arco y acierte el blanco, se la llevará." Y Ulises ganó. Los había más fuertes... Pero este arco no se deja tender sólo por la fuerza; quiere manos hábiles. (*Pausa.*) Poco duró mi dicha. (*Suspira.*) En fin, trabajemos. Cierra la puerta.

(*La empuja suavemente.* EURICLEA *va a echar el cerrojo bajo la mirada de la reina.*)

EURICLEA.—(*Al volver.*) Penélope; si ellos supiesen que les burlas desde hace años... ¡No destejas esta noche!

PENELOPE.—(*Sombría.*) Es preciso.

(Breve pausa.)

EURICLEA.—¿Vas a encender luz?

PENELOPE.—No hace falta. Se ve lo suficiente con la luna para descruzar los hilos.

EURICLEA.—Haces bien. Que no sospechen ellos.

PENELOPE.—*(Con dolor.)* No, Euriclea. Es que no quiero ver qué figuras destejo. *(Va a entrar en el templete, pero de nuevo le sorprende la paralizada actitud de la nodriza.)* ¿Qué te pasa esta noche? *(Se le acerca.)* ¡Cómo! ¿Lloras? ¿Tú lloras? ¿Tú?

EURICLEA.—Hace veinte años que no lo hacía... Es el destino, que llora por mis ojos muertos.

(Con un gesto de conmiseración, PENELOPE la lleva a la puerta del templete, donde la sitúa de guardia, como al principio del acto.)

PENELOPE.—*(Melancólica.)* Y la vida llora por los míos, Euriclea. La vida que no he vivido. *(Sin decidirse a entrar en el templete.)* Porque toda mi vida ha sido destejer... Bordar, soñar... y despertar por las noches, despertar de los bordados y de los sueños... ¡destejiendo! *(Transición.)* ¡Maldita, maldita y destruída por los dioses sea Helena!

(La nodriza cae de rodillas, llorando desoladoramente en silencio.)

TELON

ACTO SEGUNDO

Es de noche. Las cortinas del fondo permanecen corridas.
El templete está cerrado. La escena, vacía e iluminada por
la luna

(La puerta de la derecha rechina y entran caute-
losamente EURIMACO *y el* EXTRANJERO, *que viene sin*
su garrote. Cuando se han asegurado de que no hay
nadie, corren a la puerta. del templete.)

EURIMACO.—Siempre cerrado.

EXTRANJERO.—A las mujeres les gusta inventar secretos.

EURIMACO.—¡Bah! Los bordados, que nadie salvo la muerte
debe ver... Tonterías.

EXTRANJERO.—Eso. Tonterías de mujeres.

EURIMACO.—¿Dónde vas a esconderte?

EXTRANJERO.—Déjalo de mi cuenta; ya lo tengo estudiado.

EURIMACO.—¡Buen zorro estás hecho! ¿Cuál va a ser tu ma-
driguera?

EXTRANJERO.—¿Dónde te esconderías tú?

EURIMACO.—*(Mirando a su alrededor.)* ¿En el pasillo del
gineceo?

EXTRANJERO.—Mal sitio.

EURIMACO.—No veo ningún otro agujero.

EXTRANJERO.—Sí lo hay.

EURIMACO.—¿Cuál?

EXTRANJERO.—Es muy fácil. Mira. *(Se acerca a la balaus-*
trada de la derecha y levanta la cortina junto al tem-
plete.) ¿Ves? Las antorchas del patio no llegan a ilu-
minar esto.

EURIMACO.—¿Y qué?

EXTRANJERO.—Yo estaré y no estaré en la galería. *(Monta a caballo sobre la balaustrada, con la espalda contra el templete.)* Y con la cortina, me oculto. *(Desaparece tras ella. Reapareciendo.)* ¿Qué tal?

EURIMACO.—Te notarán las piernas.

EXTRANJERO.—Cuando sea preciso me apoyaré por fuera, en el borde de la balaustrada.

(Retira su pierna y lo hace.)

EURIMACO.—Te caerás.

EXTRANJERO.—No. Todavía soy fuerte.

(Salta otra vez a la galería.)

EURIMACO.—¿Y si alguien descorriese la cortina?

EXTRANJERO.—Hay que arriesgarse.

EURIMACO.—Perfecto. *(Palmeando su espalda.)* Te recompensaremos bien por esto.

EXTRANJERO.—Gracias. Y ahora, déjame. Las mujeres vendrán en seguida.

EURIMACO.—Escucha antes por última vez. Espiarás y nos lo dirás todo.

EXTRANJERO.—Para eso estoy.

EURIMACO.—Esta noche intentamos un ardid. Ya que sabes abrir puertas, debes estar alerta para procurar abrirnos cuando veas que subimos la escalera...

EXTRANJERO.—¡Hola! Eso es nuevo.

EURIMACO.—Se me ha ocurrido al ver dónde te escondías. Esta puerta es muy fácil de abrir: basta descorrer el cerrojo. Deberás descubrirte sin vacilar y abrirla muy de prisa... si falla el medio que hemos discurrido para conseguirlo.

EXTRANJERO.—¿Qué medio?

EURIMACO.—Ya lo verás, preguntón. Si falla, damos un golpecito y tú nos abres. ¿Entendido?

EXTRANJERO.—Entendido.

EURIMACO.—Pues aquí te dejo.

(Va a salir.)

EXTRANJERO.—¡Calla! (EURIMACO *se detiene y le mira. El*

mendigo corre a mirar por la cortina.) Telémaco **ha en-
trado en el patio. Date prisa.**

EURIMACO.—¡Buen oído!

EXTRANJERO.—Es mi oficio.

EURIMACO.—¡Ocúltate!

> *(Sale. El* EXTRANJERO *mira por la cortina. De re-
> pente se vuelve y atiende. Por la izquierda entra*
> DIONE, *mirando hacia atrás. Luego llega al templete
> y sacude la puerta con alguna fuerza. El* EXTRAN-
> JERO *se disimula y, de pronto, corre a su escondite,
> donde se oculta.* TELEMACO *aparece por la derecha.
> Observa lo que hace* DIONE *y después corre a su la-
> do. Ella grita débilmente.)*

TELEMACO.—¡Dione!

> *(La abraza apasionadamente.)*

DIONE.—*(Forcejeando.)* ¡Déjame...!

TELEMACO.—No, no te dejo. ¡No puedo dejarte!

DIONE.—*(Rabiosa, golpeándole.)* ¿No puedes? ¿Por qué no
puedes?

TELEMACO.—Porque te quiero...

DIONE.—Pues yo no te quiero, ya lo sabes. ¡Y suelta! *(Con-
sigue desasirse, repeliéndole con violencia.)* Ni para su-
jetar a una mujer vales.

TELEMACO.—*(Jadeante.)* ¿Qué hacías en esa puerta?

DIONE.—¿Te importa mucho?

TELEMACO.—*(Cogiéndola por un brazo.)* ¿Qué buscas ahí
dentro?

DIONE.—¡Suelta!

> *(Se desprende de nuevo.)*

TELEMACO.—No hay nada ahí dentro. Sólo el sudario.

DIONE.—¡Y algo más!

TELEMACO.—¿Algo más?

DIONE.—¡Sí! ¡Los bordados!

TELEMACO.—¡Bah! Tonterías de mujeres.

DIONE.—¿Tonterías de mujeres? ¿Por qué ríe y gime cuando borda? ¿Y por qué se lamenta por las noches *(Recalcando.)* cuando desteje?

TELEMACO.—*(Sorprendido.)* ¿Qué?

DIONE.—¿No lo sabías?

    (Breve pausa.)

TELÉMACO.—Si eso es verdad, debes callártelo. Porque significa que... entretiene a los pretendientes... para dar tiempo a que llegue mi padre.

DIONE.—¡Imbécil! Eso sólo significa indecisión. Porque es una pobre mujer, que no sabe ser reina. Y tiene miedo del amor. ¡Pero sus risas y gemidos no engañan! ¡Quieren decir amor!

TELÉMACO.—¡Dione!

DIONE.—¡Ah, pero yo la haré decidirse! ¡Yo la obligaré a dejar de soñar y a tomar al hombre que desea! ¿Rehuyes la mirada...? Eres tan indeciso como ella. No quieres enfrentarte con la verdad y prefieres soñar como tu madre, soñar con la vuelta imposible de un muerto...

TELÉMACO.—¡Mi padre vive!

DIONE.—Tu padre está muerto y ella lo sabe muy bien. No es con Ulises con quien sueña, no. Y tú no lo ignoras. ¡Es con Anfino!

TELÉMACO.—*(Desconcertado.)* Tú... amabas a Anfino.

DIONE.—¿Y qué?

TELÉMACO.—No comprendo... por qué quieres que mi madre lo elija.

DIONE.—*(Despectiva.)* ¡Qué sabes tú!

    (Breve pausa.)

TELÉMACO.—*(Estallando.)* Pero, ¿qué especie de serpiente eres? ¿Qué tramas? *(Ella ríe. Cambiando de tono.)* Está bien, no me digas nada..., pero apiádate de mí. No puedo vivir sin tenerte... Este palacio será un día mío. Yo soy el príncipe... Mañana será todo tuyo, si tú quieres.

DIONE.—*(Riendo.)* Pico más alto.

TELÉMACO.—*(La abraza brutalmente.)* ¡Lo quieras o no, serás mía! ¡Mía!

DIONE.—¡Suéltame!

TELÉMACO.—¡Mía!

DIONE.—¡Tú no eres nadie! Me río de tus ofertas. *(Forcejea.)* ¡Suelta! (Por la derecha entra ANFINO, *que se de-*

*tiene al verlos. Ella se sorprende y corre a sus bra-
zos.)* ¡Anfino!

> *(Le echa los brazos al cuello, mirando a* TELEMACO
> *de reojo.* ANFINO *la desprende con dulzura.* TELEMA-
> CO *va a ellos, furioso.)*

ANFINO.—Ya es muy tarde, Telémaco. Te conviene des-
cansar.

TELEMACO.—¡No emplees conmigo ese odioso tono de padre! ¡Yo no tengo más que un padre, uno sólo! ¡Y
vive!

ANFINO.—Tu madre vendrá ahora y no le gustará verte
aquí.

TELEMACO.—*(Crispando los puños muy cerca de su cara.)*
¡No pasará la noche sin que tú y yo nos encontremos!
¡Por todos los dioses te lo juro!

> *(Y sale, rápido, por la derecha.)*

DIONE.—*(Llorosa.)* Gracias, mi señor.

> *(Intenta arrodillarse.)*

ANFINO.—*(Impidiéndolo.)* Levanta.

DIONE.—Me persigue de continuo... Es un niño bestial y
repulsivo. No puedo quererle. ¡Pero te ha amenazado!
Y yo no quisiera que pudiese hacerte algo... *(Insinuante.)* por mi causa.

> *(Le abraza.)*

ANFINO.—*(Frío, desasiéndose.)* No me hará nada. Y ahora,
te ruego que avises a Penélope de mi presencia. He
de hablarla.

> *(*DIONE *se separa unos pasos y le examina, curiosa.)*

DIONE.—¿Sí? Haces bien. Tú debes decidirla.

ANFINO.—¿Qué quieres decir?

DIONE.—Ella no sabe ser reina. Deja que dilapiden sus riquezas y se refugia ahí *(Por el templete.)* a soñar...
(Pausa. Se acerca, felina.) A soñar contigo, Anfino.
*(*ANFINO *se estremece y hace un movimiento de sorpresa.)* Sí, Anfino, sí... Es a ti a quien quiere. Pero no **se**

atreve a elegirte. Piensa en ti durante el día, cuando
teje... Y luego desteje por las noches.

(Nuevo gesto de sorpresa de ANFINO. Breve pausa.)

ANFINO.—¿Por qué me dices todo eso?

DIONE.—Deseo servirte.

ANFINO.—*(Dubitativo.)* No te creo. Si la reina me quisie-
se, como dices, me habría elegido.

DIONE.—Duda todavía, no se atreve. Es cobarde. *(Breve
pausa.)* Pero este palacio necesita un hombre que lo
levante. ¡Atrévete, y serás tú ese hombre!

ANFINO.—*(En un mar de confusiones.)* Ella no me ha elegido.

DIONE.—*(Exasperada.)* ¡Ya lo sé! Pero tú debes decidirla...
Ahora, las cosas están para ti maduras en su corazón.

ANFINO.—*(Retrocediendo instintivamente unos pasos, desconfiado.)* No comprendo tu juego.

DIONE.—Porque sabes que yo... te quiero, ¿no es así?
(Se acerca.) Te voy a decir mi juego. Porque te
quiero y sé que eres prudente, te lo diré. *(Da unos
pasos más, hasta llegar junto a él.)* Esta casa también
necesita una mujer que sepa dirigirla... Ella no sabe
serlo y Euriclea ya está vieja. Yo soy una esclava... Una
esclava tuya en cuerpo y alma. ¡Yo te daría todo lo
que tú pidieras de mí! ¡Todo! *(Movimiento de ANFINO.)*
Ya sé, ya sé que es a ella a quien amas... Y por eso
debes tomarla tal como es. *(Despectiva.)* Débil en el
fondo, incapaz de ocuparse de los asuntos del palacio...
Soñadora. Que sea ella tu felicidad, la mujer a quien
se adora y de quien nada se exige... Pero tú debes ser
el hombre de esta casa y necesitas una mujer verdadera a tu lado. Y nadie, sino yo, puede ser la verdadera
mujer de esta casa... cuando tú seas el hombre. *(ANFINO
se vuelve hacia el proscenio, con un gesto indefinible.)*
¿Comprendes ahora mi juego? Pues sólo me resta decirte una cosa: *(Recalcando.)* Nuestro juego debe hacer-
se pronto, si queremos, todavía... poder administrar
algo.

ANFINO.—*(Volviéndose hacia ella.)* Esas últimas palabras lo
destruyen todo... *(Sonriente.)* No eres lo suficientemen-
te cautelosa.

DIONE.—¡Ciego! Hombre habías de ser... ¿No comprendes que no quiero ser cautelosa... contigo?

(*Se aproxima, temblorosa, en un mudo gesto de entrega.*)

ANFINO.—Te engañas a ti misma. No podrías vivir tranquila si te vieses tal como eres realmente.

DIONE.—(*Apartándose, iracunda.*) ¡Te odio...!

ANFINO.—Tampoco. Sólo se despecho. (PENELOPE *asoma por la izquierda.*) Avisa a tu ama.

PENELOPE.—(*Adelantándose.*) No es preciso. ¿Qué hacías aquí, Dione?

DIONE.—(*Mirando a los dos, fuera de sí, escupe las palabras.*) ¡Espiar! ¡Ver si esa puerta estaba abierta para sorprender los bordados del sudario!

PENELOPE.—¡Dione!

DIONE.—¡Pega, castígame ahora mismo!

(*Breve pausa.*)

PENELOPE.—Entra adentro. Y avisa a Euriclea y a tus compañeras para el trabajo. Pero que no vengan en seguida.

DIONE.—(*Desesperada.*) ¡Castígame...!

PENELOPE.—(*Con calma.*) Entra. (*Con un gemido de impotencia,* DIONE *sale por la izquierda. Pausa.*) Es curioso... Vine aquí pensando en encontrarte, no sé por qué. Y aquí estabas. (*Breve pausa.*) Con Dione.

ANFINO.—Guárdate de esa mujer, reina.

PENELOPE.—Se insolenta con frecuencia, pero no quiero castigarla. ¡Es tan poca cosa...!

ANFINO.—Eres muy bondadosa, reina.

PENELOPE.—Reina, reina... Llámame por mi nombre. En el fondo, soy una mujer sencilla. La reina de Itaca, sí, pero, ¿qué es Itaca? Un país mísero y desmembrado. Yo ya no soy nadie, ya no reino... ni entre mis esclavas. Ni siquiera ahí dentro, cuando tejo, a solas conmigo misma.

ANFINO.—(*Vacilante.*) ¿Vas a destejer esta noche?

PENELOPE.—(*Sorprendida.*) ¿Qué?

ANFINO.—No pidas que te explique cómo lo sé. Me repugna acusar. Pero si eso es cierto, ten cuidado. He subido para prevenirte. Ellos traman algo contra ti. Quizá hoy mismo; aún no se acostaron.

PENELOPE.—Lo he notado. Hoy me han dejado las esclavas; quieren que teja esta noche. Pero no pueden sorprenderme; cerraré esa puerta.

ANFINO.—Luego destejes.

PENELOPE.—Es una añagaza; una añagaza para cansar a los pretendientes... *(Con ansiedad.)* A los demás pretendientes, Anfino.

ANFINO.—*(Frío.)* ¿No es más sencillo terminar?

PENELOPE.—*(Dulce.)* ¿Querrías tú que lo hiciese?

ANFINO.—Penélope: yo querré siempre lo que tú quieras.

PENELOPE.—¡Qué hermosa frase...!

ANFINO.—*(Molesto.)* Sincera.

PENELOPE.—Y casi femenina... Una frase que me gustaría decir a mí. Suena tan bien... Eurímaco, yo querré siempre... No. Con Eurímaco no es bonita. *(Pensando.)* Ni con Antinoo, ni con... No, no.

ANFINO.—Penélope...

PENELOPE.—Calla, déjame. A ver: Anfino, yo querré siempre lo que tú quieras...

(Espera, mirándole a hurtadillas.)

ANFINO.—*(Amargo.)* Una frase conmovedora... que no es sincera.

PENELOPE.—*(Dolida.)* ¡Si tú lo dices...!

ANFINO.—*(Estallando.)* ¡No puede ser sincera! ¡No seas cruel, no juegues conmigo! ¿Qué te he hecho yo?

PENELOPE.—¡Anfino!

ANFINO.—Tú puedes elegir y no eliges. Puedes terminar el sudario y destejes por las noches. Luego a ninguno de nosotros quieres. Yo soy hombre y sé razonar. Si puedes elegir y prefieres burlarnos y cansarnos...

PENELOPE.—*(Fría.)* ¿También tú te cansas?

ANFINO.—*(Amargo.)* Yo esperaré, sin esperanza, cuanto tú quieras.

PENELOPE.—Y yo te lo agradezco. Pero me decías que eras hombres y sabías razonar. ¿Qué más razonas?

ANFINO.—*(Lento.)* Si puedes elegir, y optas por engañarnos con ese sudario, sólo hay una explicación.

PENELOPE.—¿Y es?

ANFINO.—Que amas a Ulises y estás dispuesta a esperarle hasta tu muerte.

PENELOPE.—¡Ah, qué bien pensáis los hombres! No hay duda. El razonamiento es perfecto. ¡Me admiras!

ANFINO.—No quise disgustarte.

PENELOPE.—(*Violenta.*) Te marcharás mañana, ¿no?

ANFINO.—(*Asustado.*) ¿Por qué?

PENELOPE.—Para seguir tu razonamiento. Sabes que destejo para engañaros. Terminaron tus esperanzas. Amo a Ulises y tú eres demasiado bueno para tomarme a la fuerza. Tu razón debe aconsejarte que abandones el campo.

ANFINO.—¡No me iré!

PENELOPE.—(*Irónica.*) ¿Por qué no?

ANFINO.—Porque... Porque... ¡Oh, basta! ⟶ o onada

(Se vuelve para marcharse.)

PENELOPE.—¡Espera! *(El se detiene y la mira, subyugado por el calor de su voz.)* Aún no. (*Dulce.*) Te llevo diez años y me pareces como un niño a quien hubieran roto el juguete precioso de su... razonamiento. Las mujeres no sabemos razonar, pero soñamos. Y ahora debo decirte yo mis sueños... Porque yo sueño, ahí dentro..., muchas cosas. Y tú tienes que saberlas.

ANFINO.—¿Yo?

PENELOPE.—(*Seca.*) Sí, tú... *(Dulce.)* Tú. Acércate. (ANFINO *lo hace.*) Helena nos quitó a nuestros esposos. Por esa... puerca, las mujeres honradas hemos quedado viudas, condenadas a hilar y a tejer en nuestros fríos hogares... A consumirnos de vergüenza y de ira porque los hombres... razonaron que había que verter sangre, en una guerra de diez años, para vengar el honor de un pobre idiota llamado Menelao. (*Pausa.*) Así pensaba yo cuando vinisteis a pretenderme. ¡Ah, cómo respiré! Treinta jóvenes jefes, hoy viejos o muertos, conducían nuestro ejército en Troya por causa de Helena. ¡Y treinta jóvenes jefes, hijos de los anteriores muchos de ellos, venían a rivalizar por mí! ¡Por mí, por Penélope! ¡No por Helena, no! Sino por Penélope. (*Pausa.*) Era

mi pequeña revancha... Mi pequeña guerra de Troya.
Me sentía vivir. Había que hacer durar, como fuese, esta lucha vuestra, que alimentaba mi amor propio heri-
do, que me daba la seguridad de mi propia existencia,
como no la había vuelto a sentir desde... que Ulises me
ganó a otros diecinueve príncipes, hace muchos años.

ANFINO.—Penélope...

PENELOPE.—Ya ves, ya ves que todo te lo confieso. Y por
eso comencé el sudario: porque todavía esperaba a Ulises, sí; pero, sobre todo, porque quería oír vuestras ri-
ñas; porque quería yo, mujer honrada, sentirme un poco como Helena y veros luchar en ese patio por mí...
Porque quería convencerme de que, si había hombres
capaces de dejarnos como a una pobre esclava, otros
había dispuestos a adorarnos como a una reina joven y
bella. (Pausa.) Porque no quería que os marchárais...
ni elegir. Por eso empecé el sudario. (Pausa. Sombría.)
Veinticinco de vosotros se han marchado ya. Eran los
más impacientes, los que vinieron a quedarse con un
país rico, desposando a su reina... Cuando la pobreza
comenzó, desistieron. (Amarga.) ¡No me querían! (Breve pausa.) Y cuatro de los que han quedado tampoco
me quieren. Pero son tenaces; rivalizan en el saqueo
del país para ver quién se acobarda y desiste de tomar
un reino sin riquezas y una mujer... que envejece.

ANFINO.—No pueden pensar eso.

PENELOPE.—¿Porque tú no lo piensas? Te aseguro que sí;
que lo piensan. Tú eres el único que... no se distrae
con las esclavas, porque eres el único que me ve joven.
Pero ya no soy joven, Anfino...

ANFINO.—¡Tú eres la más bella y la más buena de las mujeres!

PENELOPE.—(Melancólica.) Tampoco soy buena. Deberías
comprenderlo ahora, después de lo que te he dicho.

ANFINO.—No veo en ello nada censurable.

PENELOPE.—¿Verdad que no? Tú lo comprendes y lo discul-
pas... Tú solo... (En voz baja.) Y, por ti, estoy haciendo
esperar a los demás.

ANFINO.—(Suplicante.) Penélope, no me hagas creer que...

PENELOPE.—¡No hables! Yo no sé razonar y las ideas se me
escapan. Nosotras pensamos de cualquier manera, mien-

tras tejemos o cosemos. Y, a lo sumo, ponemos en el bordado, inhábiles y conmovidas, algunas de las cosas que soñamos. *(Breve pausa.)* Durante cuatro años me he dicho: Helena me ha ganado la partida. Mi guerra de Troya es repugnante... No vienen por mí ni son capaces de disputarme en la lucha. Y los que ahora quedan permanecen porque, menos ambiciosos que los demás, se contentarían con las migajas. Colonizarían este país y me llevarían a sus islas... Sólo hay uno que me ama; sólo uno aceptaría la pobreza a mi lado; sólo ese huérfano viviría aquí conmigo... Y no tiene prisa. Porque ellos me ven más vieja de lo que soy, pero él me vería eternamente joven... *(Transición.)* ¡Pero si le elijo, a él, que es solo; a él, que no tiene detrás ningún pueblo que le defienda, me lo matarán!

ANFINO.—¡Penélope!

(*Intenta abrazarla.*)

PENELOPE.—*(Retrocede y le contiene con un gesto de su mano.)* Y, cavilando, cavilando ahí dentro... Pensando en la necesaria prudencia, en la astucia conveniente para que no le matasen... Y ya que él, tímido y pacífico, no puede luchar contra ellos... Decidí empobrecerme del todo. Y para eso destejo por las noches... Viuda y sin pensar ya en Ulises... (*ANFINO se arrodilla y le besa las manos.*) ¡Porque yo no sé razonar!

(*ANFINO se abraza a sus piernas.*)

ANFINO.—Perdón, mi reina.

PENELOPE.—No, no. Déjame. Levanta. *(Se desprende y va al foro, cerca de donde se encuentra escondido el EXTRANJERO. ANFINO se levanta.)* A todos les extraña que no quiera enseñar los bordados del sudario. Yo pretexto que sólo la muerte puede verlos. ¡Sin embargo, no son nada terribles, ni siquiera claros de entender! Pero son demasiado íntimos. Tanto que, sólo alguien..., muy allegado a mí..., encontraría en ellos significados y parecidos. Porque, hechos al calor de mi angustia de tejedora, son como yo misma. Son... ¡mis sueños! Mis sueños, que luego debo deshacer, todas las noches, por conseguirlos definitivamente algún día. (*Le mira, insinuante.*) Y por eso me avergüenza enseñarlos. Sería como mostrarme desnuda... *(Baja la vista.)* Si tú quieres, yo... te los enseñaré. *(Breve pausa.)* ¡Pero, no, no me lo pidas! *(Coqueta.)* ¡No, Anfino, no debes pedírmelo...!

(Aguarda, anhelante, la petición. ANFINO se acerca, respetuoso, con la vista baja.)

ANFINO.—No. No debo pedírtelo. *(Ella no puede disimular su desilusión.)* ¡Es demasiado! No merezco, por ahora, mayor intimidad.

(Se inclina y besa su túnica.)

PENELOPE.—*(Melancólica, acariciando suavemente sus cabellos.)* Tú lo mereces todo... todo...

ANFINO.—Tienes razón: soy débil y apocado. La orfandad y la desgracia me han hecho así. No me atrevía a creer... Y tampoco fuí capaz de urdir ningún medio para librarte de esos cuatro. Tengo que pasar ahora la vergüenza de oír que tú lo has hecho por mí. Perdóname. Yo sólo sé luchar cara a cara...

PENELOPE.—Porque eres bueno... Más que yo.

ANFINO.—¡Los desafiaré!

PENELOPE.—¡No! No quiero que te hagan mal. Deja correr las cosas... y no te avergüences. ¡Tú me has hecho vivir!

ANFINO.—¡Penélope!

PENELOPE.—¡Chist! Las esclavas. *(Se separan. Entran EURICLEA y las esclavas, que traen sus cestas de ovillos y madejas. La ESCLAVA 1.ª, junto a EURICLEA, trae una pajuela encendida. PENELOPE, de nuevo con su voz imperiosa.)* Enciende el telar, Euriclea. Y vosotras, sentáos.

(Las esclavas se sientan en los peldaños y disponen sus cosas. EURICLEA abre el templete con la llave que trae ella ahora y recoge de manos de la ESCLAVA 1.ª la pajuela encendida. Entra, tantea el candelabro y lo enciende, mientras la esclava va a sentarse también. Después sale a la puerta y se inmoviliza. Entre tanto.)

ANFINO.—¿Quieres que me quede a defenderte? Tal vez sea preciso.

PENELOPE.—Yo sabré sola.

ANFINO.—No estoy tranquilo. *(Se dirige al foro, donde está escondido el mendigo, para mirar, seguido de* PENELOPE. DIONE, *que se ha sentado a la derecha, no los pierde de vista.)* No; desde aquí podrían verme, con la luna. *(Va al otro lado del templete, que está más oscuro, y* PENELOPE *tras él, solícita y conmovida.* ANFINO *levanta la cortina de la izquierda, amparado por la sombra del templete.)* Están en el patio y miran hacia acá. *(Se vuelve.)* ¡Déjame quedarme!

PENELOPE.—*(Dulce.)* No puede ser... Te odiarían más.

*(*ANFINO *va a la derecha para salir, con* PENELOPE *a su lado. Antes de hacerlo, inicia el gesto de besar sus manos, pero ello lo evita, indicándole por señas que no están solos.* DIONE *disimula su interés.)*

ANFINO.—*(Solícito.)* Cierra bien.

PENELOPE.—Sí.

*(*ANFINO *sale y* PENELOPE *mira su bajada desde la puerta.)*

DIONE.—*(Se levanta rápida y se acerca.)* ¿Quieres que cierre?

(El tono es sumiso, como si implorara perdón por su audacia anterior.)

PENELOPE.—*(Abstraída.)* No es preciso... Yo misma lo haré.

*(*DIONE, *chasqueada, vuelve a su sitio.)*

EURICLEA.—El telar está dispuesto, Penélope. *(La reina cierra la puerta, suspirando, y corre el cerrojo. Luego va, lenta, al templete. Al pasar junto a* EURICLEA *le pone en el hombro la mano, como si fuera a decirle algo.* EURICLEA *abre su gesto, espera.* PENELOPE *baja su mano y se dispone a entrar, melancólica, en el telar.)* ¿Necesitas hilos, ama?

PENELOPE.—*(Indecisa, mirando a las esclavas.)* No, aún no no... Por el momento..., que canten algo para mí. *(Breve pausa. Sin decidirse a entrar.)* No sé qué tengo hoy... Debiera estar contenta... y noto una tristeza muy grande.

EURICLEA.—Es la noche.

PENELOPE.—Eso será.

(Entra y se sienta tras la tela.)

EURICLEA.—(Hablando sola.) Es la noche. Las noches son propicias al engaño y al horror... Yo también estoy triste. Conviene estar triste por las noches; los dioses lo desean. (Pausa.)

PENELOPE.—(Desde dentro, exhala su queja.) ¡Ay, nodriza...!

EURICLEA.—Paciencia, cordera mía; paciencia.

(Las esclavas, inactivas, se remueven para aplacar sus nervios. Al fin estallan.)

ESCLAVA 3.ª—Nodriza, tengo miedo.

ESCLAVA 4.ª—Nodriza, ¿no quiere la reina lana verde?

ESCLAVA 1.ª—¿Y amarilla, nodriza?

EURICLEA.—(Seca.) Callad. Ya habéis oído que no quiere.

ESCLAVA 2.ª—Tengo miedo...

PENELOPE.—(Voz de.) Diles que canten.

EURICLEA.—¿La rapsodia?

PENELOPE.—(Voz de.) No, otra cosa... Las palabras no serían oportunas esta noche... Que canten la canción sin palabras.

ESCLAVA 2.ª—¡No, no! ¡Es peor!

EURICLEA.—¡Silencio! Empezad ya.

(Asustadas, las esclavas se miran y elevan su canto trémulo, a boca cerrada (1). Hay una pausa tras los primeros compases, en la que vuelve a oírse el gemido de PENELOPE. Luego prosigue el canto, cada vez más tembloroso, patético y triste. DIONE se levanta en silencio y se dirige a la puerta de la derecha. Todas la miran con recelo, y el canto se desafina y casi muere.)

EURICLEA.—¿Qué ocurre?

(Con mudos gestos de amenaza, DIONE las manda callar.)

ESCLAVA 2.ª—Nada, nodriza...

ESCLAVA 4.ª—(Casi llorando.) Nada...

---

(1) Véase, al final, la partitura de la canción.

PENELOPE.—*(Voz de.)* ¿Por qué no cantan, Euriclea?

    (DIONE se inmoviliza.)

EURICLEA.—No lo sé, ama.

PENELOPE.—*(Voz de.)* ¿Ocurre algo?

EURICLEA.—*(Vacilante.)* Creo que no, ama.

PENELOPE.—¿Está bien cerrado?

EURICLEA.—*(Inquieta.)* ¿No cerraste tú?

PENELOPE.—*(Tranquilizada.)* Sí, claro que sí. Di que continúen.

EURICLEA.—*(A las esclavas.)* Seguid. *(DIONE las hace furiosos gestos de confirmación. El coro se eleva de nuevo, tembloroso. Mientras vigila a EURICLEA, que se muestra inquieta, DIONE descorre el cerrojo y entorna la puerta sin ruido. El canto se ha hecho más estridente y pavoroso, como si, arrastradas por la fuerza del ritmo, las esclavas no tuviesen otro medio de expresar su miedo. DIONE vuelve en seguida a su sitio y canta también. El coro adquiere ahora un tono más bajo, pero no menos angustioso; diríase que expresa expectación. Sobre él se oye la destemplada voz de sorda de EURICLEA.)* ¡Ama...!

PENELOPE.—*(Voz de. Cansada.)* No me atormentes...

EURICLEA.—¡Ama, se acercan las Furias! ¡Las oigo!

PENELOPE.—*(Voz de.)* ¡Calla, y no las provoques!

    (Pausa. Por la derecha entran de puntillas, con el dedo en los labios para recomendar silencio a las esclavas, los cuatro pretendientes. Amparados por el ruido del canto, que llega ahora a su máxima fuerza para caer e interrumpirse casi de golpe, se acercan a EURICLEA.)

EURICLEA.—¿Otra vez calláis? ¿Qué pasa? ¿Que...

    (Se mueve como un ciego animal que notase la proximidad del peligro. Su cara se contrae. Pero antes que, al fin, grite, entre ANTINOO y EURIMACO la sujetan, tapándole la boca. Las esclavas se levantan, aterrorizadas, y forman un grupo tembloroso en el primer término izquierdo, menos DIONE, que permanece, en pie, en su sitio. Los pretendientes se acercan a la puerta del templete y miran, en

silencio, unos segundos. Después se miran y asienten, como si hubieran comprobado lo que deseaban.)

PENELOPE.—*(Voz de.)* ¿Por qué no cantan, Euriclea? ¿Tienen miedo otra vez?

EURIMACO.—No destejas más, Penélope.

(PENELOPE *lanza un grito, apaga el candelero y aparece en seguida en la puerta. El mendigo sale furtivamente de su escondite y va al primer término.* ANTINOO *y* EURIMACO *sueltan a* EURICLEA, *que se aparta llorando hacia el foro derecho.)*

PENELOPE.—*(Protegiendo con los brazos la puerta del telar.)* ¡No entréis!

ANTINOO.—Con que te burlabas de nosotros, ¿eh?

EURIMACO.—Se acabó tu juego, reina.

PENELOPE.—¡No entréis!

PISANDRO.—¿Para qué? Ya hemos visto que destejías. ¡Así no se acaba nunca!

LEOCRITO.—¿Todavía esperas a Ulises?

EURIMACO.—Vamos, reconoce que destejías.

ANTINOO.—Y que te burlabas de nosotros.

PENELOPE.—¡Todo lo reconozco, todo! ¡Pero no entréis!

EURIMACO.—No hace falta entrar, reina. Has perdido la partida.

(PENELOPE *cierra la puerta con la llave, que permaneció en la cerradura y que ahora se guarda presurosa.)*

PENELOPE.—Sí. He perdido la partida. ¿Y qué?

PISANDRO.—Que el que pierde, paga.

PENELOPE.—¿Y qué he de pagar?

EURICLEA.—*(Desde la balaustrada de la derecha.)* ¡Ama! ¡Oigo ruido de espadas en el patio!

PENELOPE.—¿Qué? *(Seguida por los pretendientes, se abalanza a la balaustrada y descorre la cortina. Los demás terminan de descorrerla y miran también.)* ¡Telémaco! ¡Anfino! (*En un grito de llamada.)* ¡¡Anfino!!

TELEMACO.—*(Voz lejana.)* ¡No huyas, cobarde!

(PENELOPE *se vuelve hacia la puerta y espera, llena de ansiedad. Los pretendientes vuelven al centro de la escena.*)

PISANDRO.—(*A* EURIMACO.) No hubiera estado mal que Telémaco... (*Hace el gesto de ensartar.*) ¿Eh?

EURIMACO.—Los dos, los dos.

(ANFINO *entra con la espada en la mano y jadeante. Tras él, y en la misma tesitura,* TELEMACO.)

ANFINO.—Perdóname, reina. El me provocó.

TELEMACO.—¡Cobarde!

(*Levanta su espada y* ANFINO *para el golpe con la suya.*)

PENELOPE.—¡Tirad esas espadas! (ANFINO *lo hace.*) ¿No me oíste, Telémaco? (TELEMACO *lo hace con un gesto de ira.*) ¡Muy bien me defendíais los dos! ¡Muy bien lo habéis hecho todos! ¡Y todas! Vosotras, delatándome y abriendo esa puerta. Tú, Euriclea, que siempre acechas pasos inexistentes..., ¡cogida, cogida como una necia y forzada a callar! (*A* TELEMACO.) Tú..., buscando pendencia..., no quiero saber por qué inconfesables motivos... (*A* ANFINO.) Y tú..., mientras los demás me armaban la trampa..., ¡entreteniéndote en matar a mi hijo!

ANFINO.—Nunca lo hubiera hecho.

PENELOPE.—Calla. Callad todos, si no queréis que me arroje al patio desde aquí, para..., ¡terminar de una vez con esta indigna vida que entre todos me imponéis!

TELEMACO.—Madre, yo...

PENELOPE.—No puedo, no puedo oíros. Vuestras voces, vuestras caras, toda esta miseria... me vencen. Todo es de una horrenda tristeza...

ANTINOO.—Reina, nosotros...

PENELOPE.—¡Fuera! ¡Fuera tú y tú, y todos! (*Se dirige, titubeante y exaltada, hacia la izquierda. Volviéndose, en un grito que rompe en sollozos.*) ¡Fuera! Dejadme!

EURIMACO.—Ya nos vamos, reina. (*Breve pausa.*) En cuanto acordemos algo definitivo acerca de tu matrimonio.

LEOCRITO.—Y así no tendrás que arrojarte al patio.

ANTINOO.—Es un hombre lo que necesitas. Ahora debes elegir entre nosotros.

PISANDRO.—Es como si el sudario se hubiera terminado.

(Pausa.)

PENELOPE.—(Sombría.) Dejadme.

LEOCRITO.—No. Debes elegir.

PENELOPE.—¿Ahora?

ANTINOO.—Sí. Ahora.

(PENELOPE se adelanta mirándolos. Su expresión cambia; a la desesperación se une un cierto gesto de intriga.)

PENELOPE.—¿Y qué harán los rechazados?

ANTINOO.—Marcharse. (Galleando.) Sí, por ejemplo, me eliges a mí...

PISANDRO.—¿Eh? Poco a poco.

LEOCRITO.—¡Guarda tu lengua!

PENELOPE.—(Lenta.) Estoy pensando que sí; que, tal vez, te elegiría a ti, Antinoo. (ANTINOO se esponja, petulante. Los demás pretendientes aguzan los oídos y se acercan.) Pero, ¡míralos! Ya los conoces: nada bueno dicen esas caras. No estoy muy segura de que... te perdonasen mi elección. (Los pretendientes se miran y se agrupan instintivamente, dejando a ANTINOO aislado frente a PENELOPE.) Acaso te matarían.

ANTINOO.—(Mirándolos con recelo.) ¿Matarme?

PENELOPE.—Para forzarme a elegir otra vez. (Los pretendientes hablan en voz baja, mirando de reojo a ANTINOO.) Sin embargo, sí. Casi, casi... es Antinoo el que prefiero.

(Pausa. ANTINOO da un paso hacia ella para ¿suplicar? Se vuelve a los otros; agarra de un brazo a PISANDRO, le mira a los ojos; coge a LEOCRITO y hace lo mismo.)

EURIMACO.—Simplezas. (A PENELOPE.) Tu solución sería demasiado sangrienta, Penélope. Hay que buscar otra.

PENELOPE. — (Exaltada.) Entonces, ¡disputadme! ¡Reñid por mí, si sois hombres!

EURIMACO.—Es la misma. (Denegando.) No nos sirve.

PENELOPE.—¡Quiero elegir, no podéis prohibírmelo! ¡An-

tinoo, tú eres mi preferido! ¡No te dejes arrebatar mi
reino!

ANTINOO.—*(Enardecido, a los otros.)* Ya lo sabéis. La reina ha elegido. Y yo os digo...

EURIMACO. — *(Cogiéndole por un brazo.)* ¡Chist! Torpe.
*(Le habla al oído durante unos segundos, ante los
otros dos, que asienten a lo que dice. ANTINOO inclina
la cabeza y se aparta un poco sin mirar a PENELOPE.)*
Antinoo declina tu elección, reina. ¿No tienes otra
cosa que proponernos? Otra cosa que no sea una nueva elección. Todos la rechazamos.

ANFINO.—*(Adelantándose.)* Yo acepto la elección de Penélope, si quiere honrarme con ella.

PENELOPE.—*(Rápida.)* ¡No! No, no. Eurímaco está en lo
cierto. No debo elegir.

EURIMACO.—*(Sonriendo.)* ¿Entonces?

PENELOPE.—*(Angustiada.)* Yo... no sé... No sé qué hacer...

EXTRANJERO.—*(Adelantándose.)* Si me lo permitís...

(Todos le miran.)

PENELOPE.—*(Altiva.)* ¿Qué buscas tú aquí?

EXTRANJERO.—No tenía sueño. Oí gritos y subí, tras los
demás. Perdona, reina. Soy un pobre infortunado, pero soy viejo y tengo experiencia. Si tú me autorizas
a sugerir una cosa...

(Breve pausa.)

PENELOPE.—Habla.

EXTRANJERO.—Para evitar a los demás la vergüenza de una
elección... *(Se detiene.)* Comprometiéndose todos a
aceptar el resultado, claro.

EURIMACO.—Acaba.

EXTRANJERO.—Acabo. Si la reina acepta por su parte, lo mejor sería... una prueba.

LEOCRITO.—¿Una prueba?

EXTRANJERO.—El ganador casaría con la reina.

ANTINOO.—¿Qué prueba?

EXTRANJERO.—¡Ah, no sé! Algo que le guste a la reina...
Por ejemplo..., algo con ese arco...

TELEMACO.—*(Jubiloso.)* ¡Eso! ¡El arco de mi padre! ¡No
podréis con él, nadie puede tenderlo! ¡El sólo es fuerte
como un roble entero! ¡Madre, dí que sí! ¡Con el arco!

EXTRANJERO.—(*Acercándose al arco.*) Es realmente como el arco de un dios. Pero estos jóvenes son fuertes. Es difícil creer que no haya entre ellos nadie capaz de doblarlo.

TELEMACO.—¡Dí que sí, madre! ¡Doce anillas en alto y una flecha que pase recta, sin tocarlas, como hacía mi padre!

(PENELOPE *se acerca al arco, pensativa, y lo acaricia, melancólica, mirando a* ANFINO.)

ANTINOO.—Yo puedo hacer eso. Si Penélope quiere, acepto la prueba.

PENELOPE.—Si yo pudiese saber... Si acertase a recordar...

PISANDRO.—Ese arco lo doblo yo de un envite.

TELEMACO.—Acepta, madre.

EURIMACO.—Bien. Todos aceptamos, ¿no?

LEOCRITO.—Yo quisiera antes ver...

(*Se dirige al arco.*)

ANTINOO.—¡Sin tocarlo! ¿Aceptas?

LEOCRITO.—Acepto.

EURIMACO.—¿Y tú, Anfino?

ANFINO.—Si ella quiere, sí.

(*Todos miran a la reina, esperando.*)

PENELOPE.—(*Desconcertada.*) Está bien... Hágase así.

EXTRANJERO.—Ni Helena habrá sido mejor disputada.

ANTINOO.—Ni por mejores hombres. ¡Yo ganaré!

PISANDRO.—¿Cuándo celebraremos la prueba?

TELEMACO.—(*Muy contento.*) Hoy al mediodía. Yo mismo la prepararé.

EURIMACO.—¿Accedes, reina?

PENELOPE.—¿No será muy precipitado? Ya es el alba.

ANTINOO.—No importa. Dormiremos hasta entonces.

LEOCRITO.—Cuanto antes, mejor.

PENELOPE.—(*Vacilante.*) Hágase como queráis...

EURIMACO.—Entonces, hoy a mediodía. Pero no dormiremos, porque solemnidad tal requiere público. Tenemos tiempo de ir a nuestros barcos y traer cincuenta hombres armados cada uno.

PISANDRO.—Muy buena idea.

ANTINOO.—¡A los barcos!

EURIMACO.—Te saludamos, reina. No hay tiempo que perder.

 (Se inclinan e inician la retirada.)

PISANDRO.—Un momento... *(A ANFINO.)* ¿Tú te quedas?

ANFINO.—Yo no tengo vasallos a quienes convocar. Pero no tocaré el arco; vete tranquilo.

TELEMACO.—*(Hostil.)* De eso me encargo yo.

PISANDRO.—Bien... Vámonos. Que los dioses te favorezcan, Penélope.

ANTINOO.—Y que infundan fuerzas al elegido.

 (Se va, pavoneándose. Los demás salen tras él, y sus risas y baladronadas: "Será mía", "Mía", "¿Tuya?", "No podrás...", se pierden por la escalera.)

PENELOPE.—Llévate a las esclavas, nodriza. *(Mirando a DIONE.)* Hasta después de la prueba no puedo saber... si podré castigar.

EURICLEA.—Sí, ama. *(A las esclavas.)* Vamos.

 (Salen por la izquierda.)

ANFINO.—*(Señalando a la puerta.)* Alguien sube.

TELEMACO.—*(Mirando también.)* Son el porquerizo y el pastor.

 (Entran jadeantes el porquerizo EUMEO y el pastor FILETIO, armados de garrotes, y se inclinan.)

EUMEO.—Perdónanos, reina. Oímos gritos y rumores de lucha.

FILETIO.—Vinimos en seguida, por si nos necesitabas.

PENELOPE.—Gracias. Podéis marcharos.

EUMEO.—También buscábamos... al extranjero.

EXTRANJERO.—Me dan su comida y su cama. Si me lo permites marcharé con ellos.

PENELOPE.—Puedes irte.

 (El EXTRANJERO y sus dos acompañantes se inclinan y salen.)

PENELOPE.—Ve con ellos, Telémaco.

TELEMACO.—*(Vacilando.)* Prefiero llevarme el arco.

PENELOPE.—¡Telémaco!

ANFINO.—*(Violento, interponiéndose.)* ¿Me insultas? ¡Sal de aquí en seguida!

    (Breve pausa.)

TELEMACO.—Bien, bien... Me tranquilizo. Tú siempre serás tonto.

    (Sale. Una pausa.)

PENELOPE.—*(Después de escuchar, se abalanza y descuelga el arco.)* ¡Prueba ahora!

    (Se lo tiende a ANFINO.*)*

ANFINO.—Prometí no hacerlo...

PENELOPE.—*(Angustiada.)* ¿Y si pierdes?

ANFINO.—Pediremos a los dioses que nos ayuden.

PENELOPE.—¡Tienes que probar! Este arco se tiende de un modo especial... *(Trata de recordar; intenta en vano tenderlo.)* Primero hay que tirar suave, y luego... el envite. Pero la mano debe ponerse aquí, algo más abajo de lo normal..., y además... ¡Oh, no recuerdo! Yo misma se lo dije a Ulises para que me ganase con él, y lo he olvidado. ¡Envejezco!

ANFINO.—Prefiero que lo hayas olvidado. No deseo ventajas.

PENELOPE.—Entonces... ¿no me quieres?

ANFINO.—*(Exaltado.)* ¿No comprendes que no podría probar aquí, solo, frente a ti? No me atrevería a mirarte más a la cara. ¿No lo comprendes?

PENELOPE.—Quiero comprenderlo... Sí, tú haces bien. Y eres bueno. ¡Pero prueba! ¡Nos lo jugamos todo si no pruebas!

    *(*ANFINO, *sonriente, coge el arco que le tienden. La faz de* PENELOPE *se ilumina para apagarse en seguida en cuanto ve a* ANFINO *colocar el arco en su sitio.)*

ANFINO.—Te quiero, Penélope. Pero lucharé sin ventajas. *(Se acerca.)* Porque yo sé que es así, en el fondo, como tú me has soñado ahí dentro. *(Ella inclina la cabeza. El coge sus manos.)* Ganaré la prueba. El dios de la guerra no negará sus fuerzas para esta causa justa. Pídeselo por mí.

(Le besa las manos. PENELOPE, rápida, le besa los labios y él intenta abrazarla.)

PENELOPE.—*(Apartándose sin mirarle.)* Vete ahora. (ANFINO *sale por la derecha.* PENELOPE *se toca los labios, absorta. Después reacciona.)* ¡Un gran sacrificio! ¡Un gran sacrificio al dios de la guerra! *(Saliendo por la izquierda.)* ¡Euriclea! ¡Preparemos un gran sacrificio al dios de la guerra...! ¡Y al del amor! ¡También al del amor...!

(Se pierde su voz. Pausa larga. Por la derecha entra, rápido, el EXTRANJERO, arrastrando por la mano a TELEMACO.)

TELEMACO.—¿Qué pretendes, padre?

EXTRANJERO.—Vigila. (TELEMACO *va a la izquierda para vigilar, mientras el mendigo* —ULISES— *descuelga el arco y va al centro de la escena.)* En empresas como ésta no conviene arriesgarse, hijo mío. Este arco tiene su secreto, pero también es fuerte. Antes podía con él, mas ya soy viejo, y...

TELEMACO.—Ahora también podrás. ¡Estoy seguro!

ULISES.—Veremos. ¿Se oye algo?

TELEMACO.—¡No, no! Tiende ya.

ULISES.—Vamos a ello.

(Prueba y forcejea, en medio de la escena, inútilmente.)

TELEMACO.—*(Sorprendido.)* ¡Padre! (ULISES *prueba de nuevo, mas no logra tender por completo. La cuerda se le escapa; resuella.* TELEMACO, *angustiado.)* ¡Padre!

(Y ULISES, a la tercera prueba, tiende limpiamente el arco de dos envites.)

ULISES.—*(Orgulloso.)* ¡Aún puedo!

(Su figura se agiganta. Su silueta es, realmente, la de un temible y vengador arquero. Así permanece un momento, con la faz resplandeciente, mientras el hijo corre a su lado para prosternarse a sus plantas.)

TELEMACO.—*(Lleno de entusiasmo.)* ¡Padre...!

TELON

ACTO TERCERO

Mediodía. Las cortinas de ambos lados, descorridas. Tras la balaustrada, el ancho azul del cielo y la cresta de los muros del patio, allá lejos. La puerta del templete, cerrada, y la de la derecha, entornada. El arco ha desaparecido, pero la aljaba permanece en su sitio, repleta de flechas.

(Asomada a la balaustrada de la derecha, PENELOPE presencia la prueba del arco, que se celebra en el patio. TELEMACO, a su lado, la observa. Apiñadas en la balaustrada de la izquierda, las cinco esclavas. EURICLEA está junto a la puerta del templete, sentada en el suelo. ULISES está sentado en las gradas del primer término derecho, con los puños en la cara, inmóvil y sombrío.)

PENELOPE.—*(Apostrofando a los pretendientes invisibles.)* ¡Engrasad! ¡Es muy fuerte el arco de mi esposo! *(A EURICLEA.)* Lo han puesto al fuego y ahora lo engrasan, nodriza. Antinoo ha propuesto ablandarlo de esa manera, "por si los años le habían endurecido". ¡Temen fracasar! *(Hacia el patio.)* ¡Engrasad!

EURICLEA.—*(Triste.)* Ten calma, cordera.

PENELOPE.—*(Risueña.)* Infunde respeto entre las manos, ¿verdad? ¡Dadle calor y grasa, sobornadle con bellas palabras! Acaso le habite un espíritu propicio a los halagos.

TELEMACO.—*(Maligno, tras una ojeada a su padre, que no se mueve.)* Y, sin embargo, hay uno que podrá con él. ¿Verdad, madre?

PENELOPE.—*(Mirándole, fría.)* Tal vez.

TELEMACO.—*(Con vago tono de amenaza.)* Tal vez, no, madre. Seguro.

(Ella le mira con desdén, sin comprender, para volver a mirar al patio.)

ESCLAVA 1.ª—¡Va a probar Pisandro!

ESCLAVA 2.ª—No coge bien el arco.

ESCLAVA 1.ª—¿Qué entiendes tú de eso?

ESCLAVA 3.ª—Se ve en seguida. No sabe. Fallará.

ESCLAVA 1.ª—¡No fallará! ¡El ganará la prueba!

ESCLAVA 4.ª—¡Mentira! ¡Eurímaco la ganará!

ESCLAVA 3.ª—¡Antinoo!

ESCLAVA 2.ª—¡Leócrito!

DIONE.—¿No podéis callar? Ya empieza.

(Se aprietan para mirar. En el patio estalla la ovación de los partidarios de PISANDRO.*)*

VOCES.—¡Animo, Pisandro! ¡Tiende bien! ¡Adelante, Pisandro!, etc.

(A poco se hace un gran silencio.)

PENELOPE.—Ya tiende... (TELEMACO *mira también. De pronto, una tempestad de gritos de* "¡Fuera!" *Son los partidarios de los demás pretendientes, que abuchean a* PISANDRO. PENELOPE, *suspirando con placer:)* No pudo, nodriza. No pudo.

(Las esclavas apartan a empellones a la ESCLAVA 1.ª, *que se separa del grupo compungida.)*

DIONE.—¡Vete con tu Pisandro!

PENELOPE.—*(Riendo, hacia el patio.)* ¿Es fuerte el arco de Ulises, Pisandro? ¿Sí? ¿Pues qué creías que era? ¿Un pobre junco del río? ¡Es el arco de un hombre! *(Breve pausa, durante la cual* ULISES *la mira furtivamente y es furtivamente observado por* TELEMACO.*)* ¡Intenta tú ahora, Antinoo!

ESCLAVA 3.ª—¡Antinoo!

(Empuja a las demás para que la dejen sitio y poder mirar bien. Entre tanto, la ESCLAVA 1.ª *se ha sentado, apesadumbrada, a la izquierda del graderío.*

Las voces de los partidarios de ANTINOO *animan aho-*
ra a su jefe.)

VOCES.—¡Antinoo! ¡Adelante nuestro jefe! ¡Animo, Antinoo! ¡Muestra tu fuerza!

PENELOPE.—¡Sí, muestra tu fuerza! ¡Pero no olvides que,
aunque logres tender, la flecha tendrá que atravesar,
recta, las doce anillas! *(Exaltada, a la nodriza.)* No pueden, Euriclea.

EURICLEA.—No sufras, mi reina. Todo es inútil...

PENELOPE.—¡No sufro! ¡Gozo! *(Pero* EURICLEA *deniega, tris-*
te, sin que PENELOPE *la atienda. Nuevamente se ha he-*
cho el silencio en el patio. PENELOPE, *sin pretender que*
ANTINOO *la oiga.)* ¡Ah, no puedes! Comer y beber sí
podías; presumir y jactarte de ser el preferido, podías;
robar e insultar te era fácil... Pero ahora no puedes.
No puedes... *(En un alarido.)* ¡No puedes!

· *(Simultáneamente a estas palabras, los gritos se le-*
vantan otra vez contra ANTINOO.)

VOCES.—¡Fuera Antinoo! ¡Que pruebe otro! ¡Fuera...!

DIONE.—*(A la* ESCLAVA 3.ª, *empujándola.)* Eso. Fuera. Fuera
tú también.

(La ESCLAVA 3.ª *va a sentarse, decepcionada, junto*
a la primera.)

PENELOPE.—*(Que pasea, agitada, a* TELEMACO.) No pueden,
hijo mío, no son fuertes. No pueden, extranjero. Tu
idea fué buena. ¿No quieres asomarte a verlo?

ULISES.—*(Bajo la mirada de* TELEMACO.) Me basta con oírlo.

PENELOPE.—*(Que ya no le atiende, a* EURICLEA.) No pueden,
nodriza. *(Cogiéndola por las muñecas y levantándola.)*
No pueden. Y yo... Me alegro. Sí, me alegro.

TELEMACO.—*(Desde la balaustrada, donde ha vuelto.)* Están
indecisos... Nadie toma el arco.

PENELOPE.—*(Volviendo a la balaustrada.)* ¡Eh, vosotros!
¿Quién lo coge ahora? ¿Ya no se atreve nadie? ¿Es como un reptil, que puede morder? *(Asustada de repen-*
te.) No, tú no... *(Tranquilizada, riendo.)* Se adelantó
Leócrito. ¿Tú te atreves, Leócrito? *(Señalando entre ri-*
sas.) Miradle: Leócrito no tiene miedo, no teme ser
mordido.

(*Las voces de ánimo a* Leocrito *se levantan.*)

Voces.—¡Bien, Leócrito! ¡Que los dioses te ayuden! ¡Cógelo con fuerza!

(Penelope *ríe, con risa casi histérica.*)

Dione.—Parece un jabalí. *wild boar*
Esclava 4.ª—Un jabalí con cara de asno.
Esclava 2.ª—(*Resentida.*) ¡Pues él ganará la prueba!
Dione.—¡Silencio!

(*La* Esclava 4.ª *le hace un mal gesto a la segunda por toda contestación. Todas miran. El silencio se hizo en el patio, porque* Leocrito *intenta tender. Pausa.* Ulises *sisea a su hijo, y* Euriclea *lo acusa con un vago gesto de ansiedad.*)

Ulises.—(*En voz baja.*) ¿Cerrásteis las puertas del palacio?
Telemaco.—(*Lo mismo.*) Sí, padre. Nadie podrá marchar.
Ulises.—¿Y los partidarios?
Telemaco.—Miran la prueba desde las poternas y no saben que ya están encerrados. No podrán intervenir.
Esclava 2.ª—¡Un poco más, Leócrito!

(*Las otras no le hacen caso.* Telemaco *va a volver a la balaustrada, pero* Ulises *le retiene aún.* Euriclea *da un paso involuntario hacia ellos, irresoluta, y las esclavas sentadas en el primer término los contemplan intrigadas.*)

Ulises.—Las armas.
Telemaco.—Eumeo y Filetio están ya tras esa puerta (*Por la derecha.*) con ellas. Las demás están escondidas.

(*Vuelve a la balaustrada. En el mismo momento atruenan el aire los gritos de "Fuera" mezclados con feroces carcajadas.* Dione *y la* Esclava 4.ª *ríen también.*)

Penelope.—(*Riendo.*) Se desmayó, nodriza. Le pudo su sangre. (*Va junto a ella.*) Le pudieron todos los carneros, y los cerdos, y los toros que nos ha devorado. Ahí estaba, rojo, bañado en sudor; bramaba de impotencia... Y... (*Riendo entrecortadamente.*) en esto... se desploma como una res bajo el cuchillo. (*Ríe para cambiar súbita-*

*mente y coger por las muñecas a la nodriza, angustia-
da.)* ¡Nodriza! ¡Están terminando!

　　　*(Y la abandona en el acto, para volver a la balaus-
　　　trada.)*

EURICLEA.—*(No menos angustiada, tratando de retenerla.)*
　　Ama, no hables...

PENELOPE.—*(Asomada.)* Todavía queda uno.

TELEMACO.—*(A su lado, incisivo.)* Dos, madre. *(Ella le mi-
　　ra.)* Porque todos deben probar, ¿no?

PENELOPE.—*(Alterada.)* ¿Por qué me hablas así?

TELEMACO.—*(Nervioso.)* Trato de regular la prueba.

PENELOPE.—Tú no puedes regular nada. Tú eres un niño.

TELEMACO.—Madre...

PENELOPE.—*(Hacia el patio.)* ¡Empieza, Eurímaco! ¡De-
　　muestra que puedes con el arco! ¡Es fuerte y flexible
　　como Ulises y, como él, implacable!

　　　*(ULISES la mira sorprendido. TELEMACO acusa el gol-
　　　pe de la palabra y mira a su padre con vago temor.)*

TELEMACO.—*(Inquieto.)* Madre... ¿Verdad que, a pesar de
　　todo, deseas que nadie venza y que mi padre vuelva?
　　¿Verdad que lo deseas? Di que sí, madre; di que sí...
　　Madre...

　　　*(Pero ella atiende al patio, retorciéndose las ma-
　　　nos, y la dura mirada de ULISES paraliza a su hijo,
　　　que baja la cabeza. En el patio aclaman a EURIMACO
　　　sus partidarios.)*

VOCES.—¡Eurímaco, tuya es la prueba! ¡Que los dioses te
　　protejan, Eurímaco! ¡Penélope es tuya!

　　　(Se va haciendo el silencio.)

DIONE.—*(A la ESCLAVA 2.ª)* ¿Qué haces tú aquí? ¿No se
　　desmayó tu Leócrito? ¡Déjanos solas!

ESCLAVA 2.ª—¡Quiero ver...!

DIONE.—*(Llevándola rudamente de un brazo al primer tér-
　　mino.)* ¡Largo! *(La empuja con violencia. La ESCLAVA
　　2.ª se sienta, renegando, junto a las otras. DIONE vuelve
　　a su sitio. A la ESCLAVA 4.ª)* Ahora tú y yo, frente a
　　frente.

ESCLAVA 4.ª—*(Con resolución.)* ¡Apuesto por Eurímaco!

DIONE.—¡Y yo por Anfino!

   (Miran hacia el patio.)

PENELOPE.—*(Negando convulsivamente con la cabeza.)* Ya
   lo coge... Está mirando la cuerda... No, no puedo verlo.
TELEMACO.—*(Tras ella.)* Madre...
PENELOPE.—¡No quiero, no quiero que tienda!
EURICLEA.—*(Temblorosa.)* Ama, calla... es peor.
PENELOPE.—*(Encarándose con ULISES.)* ¿Por qué se te ocurrió esto? ¡Es imposible sufrir más! *(ULISES la mira fijamente. Ella vuelve en un vuelo a la balaustrada.)* No
   quiero que gane Eurímaco. ¡No quiero! Es un reptil,
   una serpiente fría y venenosa... No. El no.

   *(Mira al patio, con las manos crispadas sobre la
   balaustrada.)*

ULISES.—*(A TELEMACO, que, siguiendo antes a su madre, ha
   permanecido a su lado.)* Las flechas.

   *(EURICLEA, angustiadísima, se acerca un poco. Las
   esclavas del primer término también los miran y
   murmuran entre sí, vagamente recelosas.)*

TELEMACO.—*(En tono de súplica.)* Apiádate de ella, padre.
ULISES.—*(Inconmovible.)* Las flechas.
TELEMACO.—*(Sombrío.)* Ahí las tienes *(Por la aljaba.)*, lim-
   pias y revisadas por mí esta mañana.

   *(En este momento, PENELOPE lanza un gemido y
   se vuelve sollozando convulsivamente. Una confusa
   gritería se levanta en el patio. PENELOPE se apoya,
   agotada, en el hombro de EURICLEA, que, nada solícita, aguanta su peso como si fuese el peso de la misma fatalidad. TELEMACO corre a asomarse a la balaustrada al tiempo que la ESCLAVA 4.ª, decepcionada, se
   separa del foro y va a sentarse junto a las otras bajo
   la triunfal mirada de DIONE. PENELOPE procura re-
   unir fuerzas, se enjuga las lágrimas y al fin, con
   un gesto de resolución, vuelve a la balaustrada.)*

PENELOPE.—*(Consiguiendo, no se sabe a costa de cuánto
   trabajo, un tono y una apostura de impresionante majestad, levanta los brazos.)* ¡Silencio...! *(Las voces mueren.)* Escuchad. Me habéis prometido ganar o perder en

buena lid. Habéis sido leales conmigo, y yo quiero serlo ahora... Ninguno de vosotros cuatro pudo, no ya atravesar las anillas con su flecha, pero ni siquiera tender el arco. *(Breve pausa.)* Tender el arco es ya una prueba muy dura... Quiero ser magnánima con el último de mis pretendientes.

TELEMACO.—*(Acercándose.)* ¡No, madre!

PENELOPE.—*(Conteniéndole con el brazo extendido.)* No le distingo con ello, ya que lo que tiene que hacer, también los primeros lo intentaron en vano.

TELEMACO.—*(Mirando a* ULISES.*)* Madre, por tu vida, ¡calla!

PENELOPE.—Quiero recordaros vuestra promesa de salir con orden de mi país. Quiero recordaros que esta situación debe terminar hoy mismo. *(Breve pausa.)* ¡Y por eso decido que la prueba de tender el arco sea suficiente!

TELEMACO.—¡Madre, no!

VOCES DE LOS PRETENDIENTES.—¡No! ¡No queremos! ¡Anfino no debe ganar!

PENELOPE.—*(Mordaz.)* ¡Anfino no debe ganar! ¿Acaso habéis tendido vosotros el arco siquiera? Me sorprendéis. Ya que habéis perdido, no queréis que gane nadie. *(Con energía.)* ¿Qué queréis, entonces? ¿Continuar aquí hasta el fin de vuestra vida? ¿Volver a empezar? Ya no quedan rebaños... Ya no queda nada para vosotros... ni para mí.

VOCES DE LOS PRETENDIENTES.—¡Nos iremos todos! ¡Sí, todos! ¡Anfino también!

PENELOPE.—¿Acaso no va a ocurrir así? ¿Tan fuerte creéis a Anfino, como para ser capaz de doblar ese arco que os ha vencido? Y, si lo doblase, bien clara sería su superioridad. ¿Qué importan las anillas? Es la fuerza, no la puntería lo que la prueba representa. ¡Yo os pido que seáis nobles y generosos... por una vez! *(Breve pausa.)* Basta. Anfino puede comenzar. *(Se retira con aparente serenidad de la balaustrada, para perder la compostura en cuanto no la pueden ver.)* ¡Aceptan, nodriza! Se han callado. Lo hacen porque creen que Anfino tampoco podrá. *(Acongojada.)* ¡Y es cierto! ¡No podrá, nodriza, no podrá!

EURICLEA.—*(Que cae, llorando, a sus pies.)* Las Furias nos escuchan, reina... ¡Todo está perdido!

PENELOPE.—¡Oh, las Furias! ¡Calla de una vez! ¡No puede, no puede estar perdido! *(Va a mirar, pero vacila.)* No, no puedo verlo.

ULISES.—*(A* TELEMACO, *en voz alta.)* ¿Comenzó ya?

TELEMACO.—*(Acercándose.)* Acaba de coger el arco, extranjero.

ULISES.—¿Por qué no gritan ahora?

TELEMACO.—Anfino no tiene tierras, ni partidarios.

(Un silencio.)

DIONE.—*(Repentina, desde la balaustrada.)* ¡Animo, Anfino! (*PENELOPE se vuelve de súbito, con el odio en su faz.* TELEMACO *hace también un gesto de rabia y da un paso con el propósito de hacer callar a* DIONE, *pero* ULISES *le retiene.)* ¡Animo! ¡Cógelo bien, con fuerza! ¡Así...! ¡Sin temor, Anfino! ¡El arco es tuyo! ¡Los dioses te sostienen...! ¡Despacio...! (*PENELOPE va, poco a poco, al ángulo izquierdo del templete y subraya con sus gestos de ansiedad lo que no se atreve a ver y* DIONE *ve por ella.)* Toda la fuerza de Ares en tus brazos...! ¡Tiende...! ¡Ah, el arco se abre...! ¡Más...! ¡Más...! ¡Un poco más...! *(Larga pausa. En un grito conminatorio.)* ¡¡Más...!!

(Larga pausa. Durante ella:)

ULISES.—El arco.

(EURICLEA se levanta en el acto.)

TELEMACO.—Sí, padre.

(Vuelve, despacio, a la balaustrada. Ante la sorpresa de las esclavas, EURICLEA *se acerca a* ULISES, *que se está levantando lentamente, y se prosterna a sus pies.)*

EURICLEA.—¡Piedad...!

(ULISES acaricia su cabeza, con una sonrisa de amargura. DIONE *lanza una exclamación de rabia al tiempo que el patio entero retiembla con los gritos de los cuatro grupos de partidarios.* PENELOPE *se deja caer, vencida, en el suelo.)*

TELEMACO.—¡No podríais con el arco de mi padre! ¡Os lo

dije! ¡Pero alguien os enseñará a tender! ¡Alguien os enseñará…!

(*Sale rápido por la derecha, perdiéndose su voz.*)

DIONE.—(*Para sí, mirando al patio todavía, pero con fría serenidad.*) Me decepcionas. Me equivoqué contigo.

(*Se vuelve con calma, considerando terminados sus deseos de unirse a* ANFINO, *y pasa junto al bulto caído de* PENELOPE *con un gesto desdeñoso. Luego advierte, sorprendida, el susto de las esclavas ante el grupo de* ULISES *y* EURICLEA. ULISES *se ha erguido; ya no es un anciano vencido por los años, sino un hombre maduro y corpulento.* DIONE *se reúne con las demás esclavas; el grupo no pierde de vista los movimientos de* ULISES *y acusa con gestos y murmullos de espanto la ulterior revelación.*)

ULISES.—Levanta. (*Incorpora a* EURICLEA *y en seguida se dirige a* PENELOPE, *frente a la cual se para.*) Terminaron tus sueños, mujer.

PENELOPE.—(*Levantando con esfuerzo sus ojos extraviados.*) ¿Qué dices?

ULISES.—Que harás bien recordando esta cicatriz. Hace tiempo que me la curaste tú misma.

(PENELOPE *mira la cicatriz sin comprender todavía. De pronto emite un grito penetrante y se levanta, mirando a* ULISES *con los ojos desorbitados. Instintivamente se refugia en la puerta del templete, como protegiéndola.*)

PENELOPE.—¡Ulises!

ULISES.—Ulises. (*Las esclavas se apiñan muy a la izquierda, temerosas. El se acerca rápido a la derecha. Al sentirle venir,* EURICLEA *cruza a su vez, casi huyendo, para juntarse a las esclavas, que la acogen y la sujetan como a una posible protectora.* ULISES *abre del todo la puerta de la derecha.*) ¡Eumeo! ¡Filetio! (*Aparecen en seguida éstos con cortas espadas al cinto.* ULISES *se vuelve a mirar a* PENELOPE, *que no ha dejado de seguirle con los ojos, espantada, y deja que el porquerizo y el pastor le cuelguen un tahalí con su espada que traen preparado. Mientras tanto:)* Euriclea y las esclavas, ¡fuera! Y no volváis hasta que yo os llame.

(Ellas se apresuran a salir por la izquierda.)

TELEMACO.—*(Voz de, subiendo por la escalera.)* ¡Yo os diré quién va a enseñaros! *(Aparece con el arco y corre a la balaustrada.)* ¡Un mendigo os enseñará a tenderlo! *(Los partidarios encerrados hacen ruído en las poternas, gritan y golpean las puertas cerradas.* TELEMACO *da el arco a su padre y corre por la aljaba, que descuelga, y de la que saca dos flechas, dejándola apoyada contra el adintelado de la derecha.* ULISES *abre el arco con algún esfuerzo, sin dejar de mirar a* PENELOPE, *y suelta la cuerda, que zumba.* TELEMACO *vuelve a asomarse al patio, levantando las dos flechas.)* ¡Un mendigo llamado Ulises!

(Se aparta hacia la aljaba.)

ULISES.—*(A* EUMEO *y* FILETIO.*)* ¡Cerrad! *(*EUMEO *y* FILETIO *se apresuran a cerrar la puerta y correr el cerrojo; desenvainan sus espadas y quedan junto a ella, de guardia. Entre tanto,* ULISES *va a la balaustrada y se asoma. Su presencia impone un silencio absoluto. Luego tiende la mano y* TELEMACO *le da una flecha, que pone en el arco.)* ¡La primera es para ti, Eurímaco! ¡Tú eres el peor! *(Apunta.)*

EURIMACO.—*(Voz de, llena de terror.)* ¡No...! ¡No!

*(*ULISES *persigue con el arco la carrera de* EURIMACO *por el patio. Las gentes de las poternas gritan otra vez, ensordecedoramente, pero la potente voz de* ULISES *domina.)*

ULISES.—¡Busca, busca! ¡Todo está cerrado!

(Dispara. Un grito de agonía le responde.)

TELEMACO.—*(Triunfal, mirando al patio.)* ¡Buen salto!

(Le da a su padre la otra flecha y corre a coger más. ULISES *tiende en seguida.* PENELOPE *se aproxima un poco.)*

ULISES.—¡A ti te toca, Antinoo, bestia obtusa y presumida!

ANTINOO.—*(Voz de.)* ¡Baja aquí, a luchar como un hombre!

ULISES.—Yo no soy un hombre; soy un rey.

ANTINOO.—*(Voz de.)* ¡Baja...! ¡Baj...

> *(ULISES dispara y la voz se convierte en un grito de agonía.)*

TELEMACO.—*(Entusiasmado.)* ¡En el mismo corazón!

ULISES.—*(Montando otra flecha, que le da su hijo.)* ¡Para ti, Pisandro!

TELEMACO.—¡Mira cómo corre! Coge las flechas, pero no hay arco... ¡No hay más que este arco ahora en palacio!

PENELOPE.—*(Tras ULISES ya, exaltada.)* ¡Mata! ¡Mátalos!

> *(ULISES la dirige una insondable mirada.)*

ULISES.—*(Hacia el patio, apuntando.)* ¡Pisandro! Yo era viejo, yo estaba muerto, yo no era nadie, ¿eh? ¡Toma!

> *(Dispara.)*

PENELOPE.—*(Como alucinada.)* ¡Mata!

ULISES.—*(Poniendo otra flecha en el arco.)* ¿De veras quieres que mate, mujer?

PENELOPE.—*(Violenta.)* ¡Sí, sí!

ULISES.—*(Hacia el patio.)* ¡No te muevas, Leócrito! Llegó tu momento. *(Apunta.)*

TELEMACO.—Se agarra a las poternas, intenta salir por los barrotes... Los suyos tratan de pasarle un escudo, pero no cabe. *(Pausa.)* Ya no se mueve. Está helado de terror. ¡Aplástalo como a una víbora!

ULISES.—*(Hacia el patio.)* ¿Qué miras? Ya no es Penélope lo que miras, ¿verdad? Es un hombre armado. Es su esposo. Es la muerte.

> *(Dispara.)*

TELEMACO.—¡Por la boca! *(Poco a poco, los ruidos de las poternas van acallándose.)* Los partidarios están horrorizados. Ya no saben qué hacer. *(Pausa. Se vuelve a su padre.)* Sólo queda uno, padre.

ULISES.—Uno que no corre, ni tiembla. El único valeroso.

> *(Tiende la mano, en demanda de una flecha, que TELEMACO le da tras un segundo de indecisión.)*

PENELOPE.—*(Tras él.)* Ulises...

ULISES.—*(Volviéndose de súbito, airado.)* ¡Qué!

(PENELOPE *no se decide a hablar. Luego se yergue y se inmoviliza, como una estatua.*)

ULISES.—(*Enseñando la flecha en su mano.*) ¡Esta es la tuya, Anfino!

ANFINO.—(*Voz de.*) ¡Es justo, Ulises! ¡La espero!

ULISES.—(*Grave.*) Conocí a tu padre, Anfino... Fué mi mejor amigo.

ANFINO.—(*Voz de.*) ¡No quiero piedad!

ULISES.—No la tendrás. Pero tú no debes morir como una rata, sino como un héroe. Sube por tu flecha.

(*Se aparta de la balaustrada y espera, sombrío.* TELEMACO, *asomado, sigue la subida de* ANFINO.)

TELEMACO.—Ya sube, padre. Y muy sereno.

(*Pausa. Se vuelve a la escena.* ULISES *monta la flecha en el arco. Se oyen dos golpes en la puerta. A una seña de* ULISES, EUMEO *y* FILETIO *descorren el cerrojo y la abren.* ANFINO *permanece fuera, invisible, pero él y* ULISES *se están mirando muy fijos.*)

ULISES.—(*Antes de tender.*) Sabes morir... Ninguno de esos valía lo que tú.

ANFINO.—(*Voz de.*) La orfandad y la pobreza me han forjado.

ULISES.—Demasiado. ¡Tú eres el peor pretendiente para una esposa! ¡Tengo que matarte!

ANFINO.—Yo defendí a Penélope, Ulises. Pero acepto morir a tus manos. Me matas porque tú estás muerto ya; acuérdate de lo que te digo. La muerte es nuestro gran sueño. Morir en vida es peor; prefiero hacerlo ahora. (ULISES *tiende.*) Gracias por tu flecha, Ulises. La muerte es nuestro gran sueño liberador... (*Breve pausa.*) Gracias por tus sueños, Penélope.

(ULISES *dispara. Diríase, por su gesto, que la flecha atravesó también las entrañas de* PENELOPE. *Se oye tras la puerta el golpe de* ANFINO *al caer.*)

TELEMACO.—(*Mirando.*) Rodó por la escalera.

ULISES.—Telémaco: Convocarás ahora mismo al pueblo armado de Itaca y le anunciarás mi regreso. Tráelos y que ellos te ayuden a asegurar a toda esa gente encerrada. Serán nuestros rehenes y me pagarán tributos; el palacio debe recuperar lo perdido. ¡Parte! (TELEMACO *saluda y sale.*) Eumeo, Filetio: gracias por vuestra abnegación y vuestro silencio. Anfino debe ser incinerado mañana con los honores de un gran jefe. Recoged el cadáver. (*Señalando hacia el patio.*), y depositadle con mis armas mejores sobre la piedra de festines, para que se le vele esta noche. (EUMEO y FILETIO *saludan y salen.* ULISES *se vuelve, mira de reojo a* PENELOPE, *que ha bajado la cabeza, y va a la derecha para llamar.*) ¡Euriclea! ¡Trae las esclavas!

> (*Pausa. Por la izquierda entran* EURICLEA *y las esclavas. Estas se arrodillan al entrar, implorando.*)

CORO.—¡Piedad! ¡Piedad para nosotras! ¡Ulises, rey nuestro, piedad!

ULISES.—Silencio. Vosotras, que traicionásteis a mi esposa y a mi reino, seréis castigadas... La horca no será bastante para vosotras. (*Los lamentos y súplicas de las esclavas arrecian.*) Pero antes cogeréis con esas manos que los acariciaron, los cuerpos mutilados que hay en el patio. Y los llevaréis al estercolero, para que sean pasto de los cuervos. Y después, lavaréis la sangre del patio de festines. Llévalas, Euriclea. (EURICLEA *las levanta y salen todas por la derecha, en un grupo consternado y gimiente. Pero* DIONE *no ha llorado ni implorado; tan sólo se arrodilló. Pausa.* ULISES *se acerca a la aljaba y coge una flecha. Con ella en la mano se vuelve hacia* PENELOPE, *que le mira ahora, con los ojos muy abiertos llena de decisión.*) También tú me has traicionado, Penélope.

> (*En un arrebato, tiende el arco y la apunta con la flecha, rojo de rabia.*)

PENELOPE.—(*Muy erguida.*) ¡Mata!

> (*Breve pausa.* ULISES *baja, poco a poco, el arco. Luego lo deja a un lado.*)

ULISES.—No he venido a matarte. He vuelto para cuidar de mi país y de mi mujer. He venido a evitar muchas cosas, no a desencadenarlas. (*Se acerca.*) Escucha, Penélope: vine a decirte una historia que me inquietaba.

La historia de un rey asesinado por su mujer y el aman-
te de ella. *(Breve pausa.)* Aún no te conté el final. La
historia no terminó así, porque el hijo de ambos...,
Orestes..., volvió años después de sus correrías por el
mundo y mató a su madre. ¡Sí! ¡A su propia madre
mató, y también al asesino de su padre!

PENELOPE.—Tú ya has matado a Anfino... Puedes hacer de
mi otra Clitemnestra.

ULISES.—¿No te dije que vine a evitar eso? A evitar que
te convirtieses en otra Clitemnestra, primero. Y después... a evitar que otro Orestes te matase.

PENELOPE.—*(Sobresaltada.)* ¿Qué?

ULISES.—¿No te has percatado de que Telémaco empezaba
a odiarte, por tus amores con ese iluso? Pero ahora ya
estoy yo aquí, y mi hijo n oserá otro Orestes.

PENELOPE.—Te he sido fiel.

ULISES.—*(Gritando.)* ¡Con el cuerpo solamente!

PENELOPE.—¿Y qué más querías? Yo era muy joven cuando
partiste.

ULISES.—¿Y eso qué importa?

PENELOPE.—¿Por qué te fuiste?

ULISES.—¿Por qué has desconfiado de mi vuelta?

PENELOPE.—Han pasado veinte años...

ULISES.—¿Y qué? No podemos nosotros suprimir las guerras.

PENELOPE.—¿Ah, no podéis? Vosotros las hacéis para que
nosotras suframos las consecuencias. Nosotras queremos paz, esposo, hijos..., y vosotros nos dáis guerras,
nos dáis el peligro de la infidelidad, convertís a nuestros hijos en nuestros asesinos.

ULISES.—También morimos.

PENELOPE.—Morir no es nada.

ULISES.—¿Tendré que recordarte que esta guerra se hizo
por causa de una mujer?

PENELOPE.—¡Mentira! Fué vuestra torpeza de hombres la
causa.

ULISES.—Fué Helena, una mujer. Un ser loco, frívolo, peli-
groso..., como tú. Como tú, que la has envidiado y que
te has dedicado a soñar y tejer estérilmente ahí dentro,
en vez de cuidar de los ganados y las viñas; en lugar
de convertirte en la fiel esposa que aguarda el regreso

del marido y que aumenta durante su ausencia las riquezas de los dos. En cuanto a Helena... (*Pausa.* PENELOPE *se adelanta un paso, expectante.*) Te he mentido. ¡Ya no hay Helena, mujer! ¡Ya no existe!

PENELOPE.—¿Murió?

ULISES.—No. (*Mordiendo las palabras.*) Pero está fea, y vieja.

PENELOPE.—(*Bajando la cabeza.*) Ya no me queda ni eso.

ULISES.—Por eso te lo digo. Has envidiado inútilmente.

> (PENELOPE *se separa con un gemido de pena.* EURICLEA *asoma por la derecha.*)

EURICLEA.—Mi señor...

ULISES.—¿Qué quieres?

EURICLEA.—Las esclavas ya están lavando el patio. Y suplican clemencia.

ULISES.—Y tú, que sabes cuanto han hecho, ¿pides por ellas?

EURICLEA.—Son débiles mujeres, Ulises. No era fácil resistir a los pretendientes...

ULISES.—Pues por débiles, serán ahorcadas.

> (*Pausa.*)

EURICLEA.—Las esclavas solicitan tu permiso para decir a sus reyes la rapsodia que tú les enseñaste esta mañana. Así piden tu perdón.

> (*Pausa breve.*)

ULISES.—¿Quién discurrió eso? ¿Tú?

EURICLEA.—Dione, mi señor.

ULISES.—(*Después de pasear unos segundos.*) Que canten y las perdonaré. (*Breve pausa.*) Pero Dione será ahorcada.

EURICLEA.—¡Tú eres justo y prudente, Ulises!

ULISES.—Retírate.

> (*La lleva de un brazo a la puerta, con cierta deferencia.*)

EURICLEA.—(*Antes de salir, con un tono de infinita y definitiva tristeza.*) Cuídate de las Furias, Ulises.

> (*Y sale. Breve pausa.*)

ULISES.—Mi orden te complace, ¿verdad? Se te ve en la cara. Yo sé que Dione debe morir porque ella fué quien abrió anoche esa puerta... Y porque no conviene que dañe más a Telémaco. *(Mordaz.)* Pero tú eras benévola con ella... ¿Por qué?

PENELOPE.—No quería que Telémaco pudiese ilusionarse más al verla castigada.

ULISES.—No divagues. Lo hacías por Anfino.

PENELOPE.—También por Anfino. El no era cruel, y no me hubiese perdonado la crueldad.

ULISES.—*(Negando.)* Te engañas. Lo hacías porque era a Anfino a quien no querías ver compadeciendo a Dione.

PENELOPE.—*(Considerándole, fría.)* Yo no te recordaba así.

ULISES.—¿Así, cómo?

PENELOPE.—Mezquino.

ULISES.—Mezquino, pero verdadero. Yo no sueño. ¡Y ahora, abre el templete!

PENELOPE.—*(Asustada.)* ¡No!

ULISES.—¡Hundiré la puerta a hachazos!

PENELOPE.—¡Rufián!

ULISES.—Y tú soñadora. ¡Dame la llave, soñadora!

PENELOPE.—¿Qué crees que vas a encontrar en el sudario?

ULISES.—Tu alma.

PENELOPE.—Mi alma no se puede tener a la fuerza.

ULISES.—¡La llave!

PENELOPE.—¡No!

(Se yergue. Se miran un momento, con odio infinito. ULISES se acerca con las manos crispadas y ella le espera, pálida y resuelta.)

ULISES.—*(Disimulando repentinamente.)* ¡Chist...!

(Se aparta. EUMEO entra y los mira.)

EUMEO.—Tu orden ha sido cumplida, Ulises. El cuerpo de Anfino descansa ya sobre la piedra de festines.

ULISES.—*(Seco, adivinando la secreta inquietud del viejo servidor.)* No era preciso que subieras a decírmelo. *(EUMEO baja la cabeza.)* Retírate. *(EUMEO saluda y se va. PENELOPE se ha descompuesto y mira a hurtadillas a su esposo que, rígido y con los brazos cruzados, no la pierde de vista. Al fin no puede más y corre, llorando, a*

*arrojarse de bruces sobre la balaustrada, desde donde
mira al patio. Gran pausa, entrecortada por los gemidos de* PENELOPE. ULISES, *iracundo:)* ¿Callarás?

(PENELOPE *se incorpora lentamente y se le acerca.
Es tal la airada nobleza de su rostro, que él retrocede un paso.)*

PENELOPE.—Cobarde.

ULISES.—¿Yo cobarde?

PENELOPE.—Sí, tú, prudente Ulises. Eso ha sido tu prudencia: cobardía y nada más.

ULISES.—Los he matado sin exponerme porque debía hacerlo.

PENELOPE.—¡Por cobarde!

ULISES.—*(Sin poder evitar, ante la seguridad de ella, un
creciente tono de vacilación.)* Calla, mujer. Tengo he-
chas mis pruebas en la guerra. Y no tuve miedo de venir aquí, expuesto a que me matárais entre tú... y ése.

PENELOPE.—Pero te disfrazaste. ¡Cobarde!

ULISES.—¡Para saberlo todo! Yo no tengo miedo a saber.

PENELOPE.—Pero tienes miedo de sentir, y de creer. No te
atreviste a creer en mí. Dudaste de mí... *(Se acerca.)*
Y de ti mismo. *(El baja la cabeza.)* ¿Crees que no lo
comprendo? Has querido hacerme ver que mi benevo-
lencia con Dione se debía a una oculta rivalidad por Afi-
no; a una astucia mía. Pero yo no sé de esas cosas. Yo
soñaba entonces; ¡sentía! la bondad de Anfino, que
me traspasaba y me envolvía, y me hacía mejor... hasta con Dione. ¡Sentía! Lo que tú, mezquino razonador,
nunca has sabido hacer. Y ahora, siento el motivo de
tu disfraz. Lo siento en mi propio desvío, en mi propio... asco. ¡Te disfrazaste porque te sabías viejo; porque desconfiabas de poder agradarme con tus canas y
tus arrugas!

ULISES.—¡Penélope!

PENELOPE.—¡Cállate! Ahora debo hablar yo. Ahora debo
decirte que tu cobardía lo ha perdido todo. Porque nada, ¡entiéndelo bien!, ¡nada!, había ocurrido entre Anfino y yo antes de tu llegada..., salvo mis pobres sueños
solitarios. Y si tú me hubieses ofrecido con sencillez
y valor tus canas ennoblecidas por la guerra y los aza-

res, ¡tal vez! yo habría reaccionado a tiempo. Hubieras sido, a pesar de todo, el hombre de corazón con quien toda mujer sueña... El Ulises con quien yo soñé, ahí, los primeros años... ¡Y no este astuto patán, hipócrita y temeroso, que se me presenta como un viejo ruín para acabar de destruirme toda ilusión posible!

ULISES.—*(Frío.)* No me disfracé por eso. También a ti temía encontrarte vieja... como te he encontrado.

PENELOPE.—*(Afirmando.)* ¡Temías! *(Señalando al patio.)* El no temía. Ese inmenso corazón que tú has roto adoraba mi juventud y mi hermosura... ¡Sólo habrías tenido una manera de ganarle la partida! Tener la valentía de tus sentimientos, como él; venir decidido a encontrar tu dulce y bella Penélope de siempre. Y yo habría vuelto a encontrar en ti, de golpe, al hombre de mis sueños. Pero ¡qué! Tú no lo eras; no podías serlo, ni aun admirándome con tu astucia, ni aun barriéndome el palacio de pretendientes. Y eres tú, tú solamente, quien ha perdido la partida. ¡Yo la he ganado! Porque dices muy bien: ya somos viejos... el uno para el otro. Pero tú no habrás tenido en tu camino ninguna mujer que te recuerde joven, porque tú naciste viejo. Pero yo seré siempre joven, ¡joven y bella en el recuerdo y en el sueño eterno de Anfino! Y ahora te queda tu mujer, sí, a los ojos de todos: pero teniéndome no tienes ya nada, ¿me oyes? ¡Nada! Porque él se lo ha llevado todo para siempre. Una apariencia; una risible... cáscara de matrimonio te queda. ¡Tú eres el culpable! Tú, por no hablar a tiempo, por no haber sido valiente nunca. Te detesto.

(Vuelve a la balaustrada para arrodillarse lentamente ante el muerto lejano, en muda adoración postrera.)

ULISES.—Y le amas. Bien lo veo... *(Sombrío.)* Todo está perdido. Así quieren los dioses labrar nuestra desgracia.

PENELOPE.—No culpes a los dioses. Somos nosotros quienes la labramos.

ULISES.—Me marcharé... *(Caviloso.)* Fingiré que tengo que cumplir un voto de peregrinaje.

PENELOPE.—*(Reprobadora.)* ¡Márchate y sigue fingiendo!

ULISES.—Lo haré. Pero soy el rey de Itaca. Nuestro nombre debe quedar limpio y resplandeciente para el futuro. Nadie sabrá nada de esto.

PENELOPE.—¡Sigue con tus palabras de hielo! El calor que todavía tiene ese pobre muerto vale más para mí.

ULISES.—No tardará en enfriarse. Y nosotros también, tarde o temprano. Por eso queda aún algo que hacer. ¡Salvar el prestigio! Y yo he venido a eso. He venido a...

PENELOPE.—¿A qué? ¿A romper mis sueños y marcharte?

ULISES.—No. He venido a... *(El coro de las esclavas se eleva repentinamente en el patio. Tras el primer verso:)* a que se quede eso.

> *(PENELOPE atiende.)*

CORO.—*(Sin melodía.)*
> Cual roca poderosa es la hembra fuerte.
> El esposo partió, pero la reina
> su palacio y su lecho ha defendido,
> cual nuevo Ulises, sin olvidar nunca.

PENELOPE.—¡Te odio!

ULISES.—Ya es igual, mujer... Eso debe quedar.

CORO.—Penélope fué sola, y circundada
> estuvo de peligros y deseos.
> Mas sólo para Ulises vive ella.
> Y no caerá cual otra Clitemnestra.
> Tejía y destejía durante años
> para burlar así a los pretendientes.
> Ella bordó sus sueños en la tela.
> Sus deseos y sueños son: ¡Ulises!

> *(PENELOPE se levanta de súbito y corre a abrir, febril, la puerta del templete.)*

PENELOPE.—¡Puedes verlos! *(Se le quiebra la voz.)* Ahora ya no importa.

> *(ULISES se acerca a la puerta y mira a su mujer, que ha bajado la cabeza. Una larga pausa.)*

ULISES.—*(Cerrando la puerta, mientras niega con la cabeza.)* Nadie los verá ya. No existen. ¡Tú soñaste con Ulises! Ese sudario será quemado mañana con el cuer-

po de Anfino. A no ser que prefieras destejer lentamente...

PENELOPE.—Será quemado.

CORO.—Junto al telar, soñar con el ausente:
    esta es la dulce ley de nuestras bodas.
    Sonría la gloria a la prudente reina
    que nunca ha amado a otro hombre que su esposo.

PENELOPE.—¡Mentira!

ULISES.—Pero en tu interior... No quiero saber ya nada
de tu interior.

CORO.—Penélope nos dice desde Grecia:
    cinco, diez, veinte años no son nada.
    El amor no envejece y nuestra sangre
    sabe esperar la vuelta del amado.

PENELOPE.—*(Absorta en el cadáver.)* Esperar... Esperar el
día en que los hombres sean como tú... y no como
ése. Que tengan corazón para nosotras y bondad para
todos; que no guerreen ni nos abandonen. Sí; un día
llegará en que eso sea cierto. *(A ULISES.)* ¡A ti te lo
digo, miserable! ¿Y sabes cuándo? ¡Cuando no haya
más Helenas... ni Ulises en el mundo! Pero para eso
hace falta una palabra universal de amor que sólo las
mujeres soñamos... a veces.

ULISES.—Esa palabra no existe.

PENELOPE.—¡Sí existe! *(Hacia el patio.)* Tú la poseías.
Gracias, Anfino. Y suéñame, suéñame siempre... buena.

    (ULISES toma el arco y lo tira por la balaustrada.)

ULISES.—Que sea quemado también. Ya no habrá más
pruebas. *(Desalentado.)* Y ahora, a vivir... muriendo...

PENELOPE.—*(Avanzando hacia el proscenio para detener-
se, transfigurada, con los ojos en alto y la voz infinitamente dulce.)* O a soñar que se muere... Porque ya
no hay figuras que tejer, y el templete de mi alma
quedó vacío. Pero aún tengo algo... Mi Anfino. *(En
un sollozo.)* ¡Oh, Anfino! Espérame. Yo iré contigo
un día a que me digas la rapsodia que no llegaste a
hacer... Tú eres feliz ahora, mi Anfino, y yo te envi-
dio... ¡Dichosos los muertos!

(ULISES *asiente en silencio, al tiempo que el coro se eleva de nuevo y empieza a caer el telón lentamente.*)

Coro.—Penélope es el nombre de la reina.
       Ejemplo es para siempre de la esposa.
       Ella teje sus sueños hogareños
       y en su modestia irradia lozanía...

TELON

"La Tejedora de Sueños"
canción

M. Parada.

TEATRO

398. EL RIO SE ENTRO EN SEVILLA, de José María Pemán.

399. (Extra). UN 30 DE FEBRERO, de Alfonso Paso.

400. (Especial Extra). Número homenaje a los Hermanos Alvarez Quintero: "EL GENIO ALEGRE", "LAS DE CAIN" y "CINCO LOBITOS".—40 pesetas ejemplar.

401. LA BARCA SIN PESCADOR, de Alejandro Casona.

402. ¡MATAME, Y TE QUERRE SIEMPRE!, de Adrián Ortega y Francisco Sanz.

403. LA HERIDA LUMINOSA, de José María Sagarra.

404. SUSANA QUIERE SER DECENTE, de Jorge Llopis Establier.

405. (Extra). LOS ARBOLES MUEREN DE PIE, de Alejandro Casona.

406. (Extra). VIVIR ES FORMIDABLE, de Alfonso Paso.

407. (Extra). LOS MAL AMADOS, de François Mauriac.

408. (Extra). AVENTURA EN LO GRIS, de Antonio Buero Vallejo.

409. (Extra). LAS MUJERES LOS PREFIEREN PACHUCHOS, de Alfonso Paso.

410. (Extra). APROBADO EN INOCENCIA, de Luis Peñafiel.

411. (Extra). SI QUIERO, de Alfonso Paso.

412. (Extra). MULATO, de Langston Hughes. (Versión de Alfonso Sastre).

413. (Extra). DIALOGOS DE UN HOMBRE SOLO, de Carlos Llopis.

414. (Extra). LOS PALOMOS, de Alfonso Paso.

415. (Extra). LA BELLA DOROTEA, de Miguel Mihura.

416. (Extra). EL NIÑO DE LOS PARKER, de A. Hart y M. Braddell.

417. (Extra). JUEGOS DE INVIERNO, de Jaime Salom.

418. (Extra). LOS VERDES CAMPOS DEL EDEN, de Antonio Gala.

419. LOS MONOS GRITAN AL AMANECER, de José María Pemán.

420. (Extra). LA PAREJA, de Jaime de Armiñán.

421. (Extra). CASA DE MUÑECAS, de Henrik Ibsen.

422. VERANEANDO, de Alfonso Paso.

423. EL AMOR TIENE SU AQUEL, de Carlos Llopis.

424. MACBETH, de William Shakespeare.

425. (Extra). LA VIDA CON PAPA, de Howard Lindsay y Russell Crouse.

ANTONIO BUERO VALLEJO

Nació en Guadalajara el 29 de septiembre de 1916. En 1949 obtuvo el Premio de Teatro «Lope de Vega», con HISTORIA DE UNA ESCALERA, que ha alcanzado uno de los más ruidosos éxitos del teatro contemporáneo, situando a su autor en la primera fila de nuestros dramaturgos.

Posteriormente ha estrenado, siempre con el precedente de una expectación extraordinaria, los siguientes títulos, todos ellos publicados en diferentes volúmenes de esta misma Colección: LAS PALABRAS EN LA ARENA (1949), EN LA ARDIENTE OSCURIDAD (1950), LA TEJEDORA DE SUEÑOS (1952), LA SEÑAL QUE SE ESPERA (1952), con cuyo texto íntegro se publica la partitura, compuesta por el propio autor, para la melodía que sirve de fondo a la obra, MADRUGADA (1953), HOY ES FIESTA (1956), que ha sido galardonada con el Premio Juan March, y UN SOÑADOR PARA UN PUEBLO (1958).

Los éxitos más recientes de Buero Vallejo son la fantasía velazqueña intitulada LAS MENINAS y EL CONCIERTO DE SAN OVIDIO, cuya calidad teatral y literaria refrenda la alta categoría de que goza el autor.

Pedidos:
ESCELICER, S. A.
Héroes del 10 de Agosto, 6
Apartado, 459
MADRID

15 PESETAS